Nat
B

Naturiaethwr Mawr Môr a Mynydd

Bywyd a Gwaith J. Lloyd Williams

Dewi Jones

Yr Athro J. Lloyd Williams

Gwasg Dwyfor

I'm priod Veronica,
hefyd
Sharon, Roger a Ioan Ynyr.

Argraffiad cyntaf: Tachwedd 2003

ISBN: 1 870394 84 4

Argraffwyd a chyhoeddwyd
gan
Wasg Dwyfor, Pen-y-groes,
Caernarfon, Gwynedd,
LL54 6DB.
Ffôn: (01286) 881911.

Cynnwys

Rhagymadrodd

Dechreuais ymddiddori yn hanes y naturiaethwr J. Lloyd Williams o ddarllen yn llyfr W. M. Condry, *The Snowdonia National Park*, am ei ddarganfyddiad o redynen hynod brin ar gyrion Moel Hebog yn ystod wyth-degau'r ganrif o'r blaen. Cefais fwy o wybodaeth amdano ac am ei hunangofiant gan y diweddar Evan Roberts, Capel Curig ac o ganlyniad darllenais *Atgofion Tri Chwarter Canrif.* Bu sawl un, fel fi, o dro i dro yn chwilota am ddyddiaduron a nodlyfrau botanegol J. Lloyd Williams a chefais ar ddeall ymhen rhai blynyddoedd wedyn drwy fy nghyfaill Meredydd Evans, eu bod ar gadw yn y Llyfrgell Genedlaethol yn gymysg â'i gasgliad o hen alawon gwerin Cymru. Anogodd ef fi i fynd ati i ymchwilio'r ffynonellau hynny a gwelir ffrwyth y gwaith ymchwil hwnnw yn y gyfrol hon.

Dymunaf gydnabod y cymorth a gefais gan staff y gwahanol sefydliadau ynghŷd â'r unigolion canlynol: Adran Bioamrywiaeth a Bioleg, Amgueddfeydd ac Orielau Cenedlaethol Cymru; Llyfrgell Genedlaethol Cymru; Archifdy Gwynedd, Caernarfon; Llyfrgell y Sir, Caernarfon; Llyfrgell Coleg Prifysgol Cymru, Bangor; Llyfrgell Bodleian a Llyfrgell Gwyddoniaeth Radcliffe, Rhydychen; Llyfrgell Prifysgol Chicago; Plymouth Marine Laboratory.

Rwy'n ddyledus i Meredydd Evans a Dafydd Glyn Jones am gytuno i ddarllen drwy'r testun a bu eu sylwadau hwy o gymorth mawr. Hoffwn yn ogystal gydnabod cymwynasau Anne Barrett, Imperial College, Llundain; Arthur O. Chater, Aberystwyth; Iwan Rhys Edgar, Chwilog; Gwilym Evans, Prifathro Ysgol Gynradd Garn Dolbenmaen; Gina Douglas; George Hutchinson; Bleddyn O. Huws, Aberystwyth; Dafydd Guto Ifan, Bethel; W. Eifion Jones, Porthaethwy; Elen W. Keen, Rhosmeirch; Bethan Miles, Aberystwyth; T. A. Norton, Port Erin Marine Laboratory; Ian Salmon, Coleg Prifysgol Cymru, Aberystwyth; Anne a Jim Secord, Caergrawnt; Bernard Thomason, gynt o Brifysgol Manceinion; Geraint Tudur, Bangor; Roger a Sharon Vaughan, Penygroes; John Roberts Williams, Llanrug; Mel Williams, Llanuwchllyn; Goronwy Wynne, Licswm.

Cyflwyniad

Braint fawr i mi yw cael sgrifennu gair o gyflwyniad i gyfrol goffa J. Lloyd Williams. 'Canmolwn yn awr y gwŷr enwog' meddai'r Gair, a dyma Dewi Jones wedi gwneud.

Mae'r Dr. John Lloyd Williams yn enghraifft berffaith o'r syniad sydd gennym o Gymro diwylliedig yr oes a fu. Y cychwyn dinod mewn ardal wledig, yr ymdrech am addysg, y dringo i dir, a'r enwogrwydd yn dilyn.

Fel llawer o'm cenhedlaeth i, y tro cyntaf i mi weld enw J. Lloyd Williams oedd fel awdur y llyfr enwog hwnnw *Byd y Blodau* a ddosbarthwyd yn rhad gan gwmni 'Morris & Jones' yn ystod y cyfnod rhwng y ddau Ryfel Byd, ac sy'n dal ar y silff mewn llawer cartref yng Nghymru. Wrth ddarllen y cofiant hwn cawn ddarlun clir a manwl ohono, – ei fagwraeth yn Nyffryn Conwy, ei fywyd cyhoeddus, ei gyfraniad i'r byd academaidd fel botanegydd a'i fywyd personol llawn a diddorol.

Mae Dewi Jones wedi llwyddo'n rhyfeddol i gyflwyno toreth enfawr o ffeithiau mewn arddull hynod o naturiol a darllenadwy ac ymhell cyn diwedd y llyfr cawn ein hargyhoeddi ein bod yn adnabod y gwrthrych, yn ei edmygu ac yn ei hoffi. A phwy'n well na'r awdur i gyflawni'r dasg? Cefais y fraint fwy nag unwaith o droedio'r mynyddoedd gyda Dewi, yn rhannu o'i wybodaeth yntau am 'fyd y blodau'. Ni allaf feddwl am enghraifft well o'r gwerinwr diwylliedig sydd wedi trwytho'i hun yn ei faes. Eisoes, cawsom ganddo, yn y ddwy iaith, lyfrau ar dywysyddion a botanegwyr Eryri yn ogystal â chyfraniadau ar redynau'r mynydd. Fel Evan Roberts, Capel Curig o'i flaen, y mae wedi ffrwyno a disgyblu ei frwdfrydedd am blanhigion ei fro ac yn mwynhau rhannu ei wybodaeth â ninnau.

Roedd J. Lloyd Williams yn fotanegydd wrth reddf. Cymerodd ddiddordeb arbennig ym mlodau'r mynydd ac yr oedd yn ei elfen yn sgrialu dros y creigiau yn chwilio am y planhigion Arctig-Alpaidd; ond ei briod faes ymchwil oedd gwymon y môr a gwnaeth waith arloesol ynglŷn â'u cylchred bywyd. Ar ôl treulio cyfnod yn Llundain bu'n aelod o staff yr Adran Fotaneg ym Mangor ac wedi hynny yn Athro Botaneg yn Aberystwyth. Y mae'n gwbl amlwg ei fod yn athro da, – yn hoff o'i bwnc ac yn hoff o'i fyfyrwyr. Cafodd oes faith, ac wrth ddilyn hynt a helynt ei yrfa cawn olwg ar fywyd Cymru dros gyfnod helaeth, – patrwm y gymdeithas, datblygiad addysg, dylanwad crefydd a thwf gwyddoniaeth, yn ogystal â chael cipolwg ar amryw o gewri'r dydd ym mhob maes.

Rhaid canmol yr awdur am ei egni a'i drylwyredd. Mae ôl paratoi gofalus ar y gyfrol, gyda chyfeiriadaeth fanwl a mynegai defnyddiol.

Tua diwedd ei oes cyhoeddodd J. Lloyd Williams ei hunangofiant mewn pedair cyfrol o dan y teitl *Atgofion Tri Chwarter Canrif* sy'n rhoi i ni ddarlun lliwgar o fywyd yn Nyffryn Conwy yn ail hanner y bedwaredd ganrif ar bymtheg. Bellach aeth hanner canrif arall heibio er ei farw, a thrwy lygaid Dewi Jones cawn olwg gymesur o'r gŵr arbennig hwn, – y gwerinwr a'r ysgolhaig, y gwyddonydd a'r athro, y llenor a'r Cymro.

Goronwy Wynne,
Licswm, Sir Y Fflint.
Medi, 2003.

1
Deall y Dail

Mae'r Plas Isa, Llanrwst, wedi hen ddiflannu bellach, ond dyma gartref dau o fotanegwyr enwocaf Cymru, sef William Salesbury (c.1520-1591), a John Lloyd Williams (1854-1945), gwrthrych y gyfrol hon. Cofir y cyntaf gan y mwyafrif o Gymry fel cyfieithydd y Testament Newydd a'r Llyfr Gweddi Gyffredin i'r Gymraeg, a'r ail fel casglwr hen alawon gwerin a chyd-sefydlydd Cymdeithas Alawon Gwerin Cymru.

Roedd Salesbury a J. Lloyd Williams yn arloeswyr yn eu dydd ym maes botaneg. Trigai Salesbury mewn oes pan oedd y llinell a wahanai lysieuaeth feddyginiaethol draddodiadol oddi wrth y fotaneg wyddonol gyfoes yn un denau iawn, os bodolai llinell o gwbl, gan fod arwyddion o'r datblygiad oedd i ddod i'w weld yn blaen mewn llawysgrif o waith William Salesbury a gyhoeddwyd yn 1916 ac 1997.[1]

Un o nodweddion amlycaf llysieulyfr Salesbury yw ei fod yn cadw cofnodion o'r safleoedd lle gwelodd y gwahanol blanhigion gwyllt yn tyfu yn ogystal â rhoi disgrifiad byr o'u hamrywiol gynefinoedd. Yn hyn roedd yn rhagflaenydd yn ei faes, canys erbyn y bedwaredd ganrif ar bymtheg datblygodd dosbarthiad daearyddol planhigion i fod yn brif astudiaeth ymysg botanegwyr ac erbyn hanner olaf y ganrif honno roedd cwestiynau yn cael eu codi ymysg gwyddonwyr ynglŷn â pherthynas planhigion â'u cynefinoedd. Dywed J. Lloyd Williams mai o safbwynt meddygol yr edrychai Salesbury ar lysiau ond gellir dadlau mai ei lysieulyfr ef oedd y llyfr gwyddonol modern cyntaf yn yr iaith Gymraeg. Nid am eu rhinweddau meddyginiaethol yn unig yr astudiai ef blanhigion ond er mwyn dysgu mwy am eu hecoleg. Y prif ffynonellau a nodir ganddo yn ei lawysgrif yw gwaith Leonard Fuchs, *De Historia Stirpium* a *A New Herbal*, William Turner a chydnabyddir gwaith yr awduron hyn yn aml ganddo. Dau arall a grybwyllir gan Salesbury yw'r awduron clasurol Dioscorides a Galen; Dioscorides yn ffisigwr Groegaidd o'r ganrif gyntaf ac yn awdur gwaith pwysig a oedd yn cael ei ystyried yn llyfr meddygol mwyaf safonol yr oes, a Galen ('yr hen bennadur Galen' yn ôl Salesbury) o'r ail ganrif o'r cyfnod Cristionogol. Bu am gyfnod yn brif ffisigwr i'r teulu Ymerodrol yn Rhufain.

Yn ei hunangofiant[2] mae J. Lloyd Williams yn ein hatgoffa mai meddygon oedd llysieuwyr gorau yr hen oesoedd. Daw llawer o enwau cyfoes planhigion o ddyfais y 'Doctoriaid dail' a oedd yn gyfarwydd â rhinwedd y llysiau fel moddion i wella salwch. Goroesodd yr hen arferion a chofiai ef fel y byddai ei fam yn ei anfon allan i 'hel dail':

> Lawer gwaith yr anfonodd fi i hel Dail'reidral *(Ground Ivy) [Glechoma hederacea]* i wneud trwyth rhag annwyd; a Chwarlas neu Chwerwlys yr Eithin *(Wood Sage) [Teucrium scorodonia]* at y stumog. Awn weithiau i gasglu iddi amryw fathau i wneud "diod fain"; ond fy mhennaf gamp oedd dod o hyd i blanhigyn go brin "Dail f'ddigaid" neu'r "Dail Bendigaid" *(Tutsan) [Hypericum androsaemum]* a ddefnyddiai i wella rhyw adwyth ar ben glin fy nhad.[3]

Cafodd J. Lloyd Williams wybod hefyd gan ei fam fel yr arferai ei daid ddal gwiberod er mwyn gwerthu eu gwenwyn i fferyllydd yn y dref, ond does dim cofnod o'r defnydd a wneid o'r hylif. Cawsom wybod am arferion y Celtiaid drwy ysgrifau'r cofnodydd Rhufeinig Gaius Plinius Secundus sy'n sôn am y Derwyddon, eu harferion a'u defodau er gwella cleifion. Roedd yr Uchelwydd *(Viscum album)* yn cael ei gyfrif yn blanhigyn sanctaidd iawn ganddynt, yn enwedig felly os oedd yn tyfu ar goeden dderw. Byddent yn ei gasglu ar ŵyl y Calan, ei dorri â chyllell aur, ei gyflwyno i'r Offeiriad ar ddarn o liain gwyn a byddai dau darw gwyn yn cael eu haberthu. Defnyddid yr Uchelwydd hefyd fel moddion i wrthweithio gwenwyn, fel cyffur ffrwythlondeb ac, yn wir, at bob math o afiechydon.

Ymddengys bod ffisigwyr Cymru erbyn y Canol Oesoedd yn gyfarwydd iawn â rhinweddau meddyginiaethol planhigion. Yr enwocaf ohonynt oedd Meddygon Myddfai ac roedd gan y Mynachlogydd hefyd lawysgrifau cynhwysfawr yn cynnwys ryseitiau darparu moddion llysieuol. Roedd yn arferiad bryd hynny gwneud copïau ysgrifenedig o'r gwahanol ryseitiau at ddarparu moddion, arferiad a ddaeth yn draddodiad 'cymorth cyntaf' ymarferol a defnyddiol, yn enwedig yn y cymunedau gwledig. Pan ddywedai'r llysieuwyr eu bod yn 'going simpling' sôn yr oeddynt eu bod yn mynd allan i gefn gwlad i gasglu llysiau ar gyfer gwneud moddion ac mae tystiolaeth bod y term hwn yn parhau i gael ei ddefnyddio i ddisgrifio teithiau casglu o'r fath hyd at o leiaf y ddeunawfed ganrif.

Edward Lhuyd (1660 – 1709)
Portread gan Wm. Roos

Pan wnaed ymholiad ynglŷn â'i fab Edward Lhuyd, ateb Edward Lloyd, Llanforda oedd 'Neddy gone a simpling'[4] hen ddywediad y 'Doctoriaid dail' wedi goroesi. Teithiodd William Morris (1705-1763) o'i gartref ym Môn i'r Wyddfa yn ystod Mehefin 1741 gan restru'r planhigion a welodd yno hyd nes i dywydd cyfnewidiol y mynydd ei rwystro rhag parhau ei archwiliad. Yn gwmni iddo daeth y Parchedig Henry Williams, Caernarfon, y Parchedig Thomas Ellis, Caergybi, Phillip Quellyn, swyddog tollau yng Nghaernarfon, Richard Owen, Isallt (Caergybi?) a Hugh Jones, Cymunod ger Bodedern, Môn. Mae enw 'Rolant o Gwm Brwynog' yn gysylltiedig â'r cwmni ac mae'n bosibl mai ef oedd y gwesteiwr neu'r tywysydd. Daw'r enwau uchod o lawysgrif o waith William Morris sydd ar gadw yn Llyfrgell Genedlaethol Cymru[5] lle mae'r awdur wedi copïo rhestr faith o blanhigion Arctig-Alpaidd allan o *Britannia* (1695) William Camden gyda'r esboniad: 'This catalogue I drew out to assist me in finding out the Plants therein mentioned when I went a Simpling a top of Snowdon 17th June 1741 ...' Dichon bod William Salesbury yntau wedi gwneud sawl taith 'simpling' hefyd.

Mae'n amlwg bod J. Lloyd Williams yn falch o'r cysylltiad hwn â hanes cynnar datblygiad yr wyddor botaneg, ac fel Salesbury o'i flaen yn ystyried cyfraniad ei ragflaenwyr i'r maes yn bwysig. Nid yn aml y ceir botanegydd sy'n ymddiddori yn hanes ei bwnc ond ceir sawl tystiolaeth sy'n cadarnhau ei fod ef wedi ymchwilio'n ddwfn i'r hanes hwn o dro i dro dros y blynyddoedd.

Roedd Edward Lhuyd yn ddiau yn ffigur amlwg yn natblygiad cynnar botaneg yng Nghymru a diau y buasai J. Lloyd Williams yn ymfalchïo ym modolaeth y gymdeithas gyfoes Gymreig a ffurfiwyd er cof amdano. Ymhlith papurau J. Lloyd Williams yn y Llyfrgell Genedlaethol mae toriad o rifyn 29 Mehefin 1923 o'r *South Wales News* sy'n nodi marwolaeth Lhuyd ar 29 o Fehefin,1709, a'i fod wedi ei gladdu ar eil ddeheuol *(the Welsh Aisle)* Eglwys St. Michael, Rhydychen. Yn ôl y nodyn yn y newyddiadur aeth llawysgrifau Lhuyd yn eiddo i Syr William Watkin Wynn ond fe'u llosgwyd mewn tŷ yn Llundain tra roeddynt ar eu ffordd i gael eu rhwymo gan argraffydd.

Gan ei fod yn ymwelydd cyson ag Eryri yn ystod y 1680au Lhuyd oedd y cyntaf i hel gwybodaeth drylwyr o lystyfiant yr ardal ac erbyn 1688 darganfu dros 40 o blanhigion newydd y cyhoeddwyd eu henwau gan John Ray yn ei lyfr *Synopsis Methodica Stirpium Britannicarum* yn 1690, cyfrol boblogaidd a ddefnyddiwyd gan genedlaethau o fotanegwyr. Fodd bynnag, cofir Lhuyd yn bennaf am ei ddarganfyddiad o Lili'r Wyddfa *(Lloydia serotina)* ar glogwyni Cwm Idwal ond ni chyhoeddwyd hyn nes i ailargraffiad y *Synopsis* ymddangos yn 1696. Daeth y naturiaethwr enwog John Ray (1627-1705) ar ymweliadau â Chymru yn 1658 a 1662 gan gyhoeddi enwau'r planhigion a welodd mewn tair cyfrol. Y fwyaf adnabyddus o'r rhain oedd y *Synopsis* ac yn y gyfrol honno yn hollol ddiymwybod creodd ddirgelwch ynglŷn â safle un o blanhigion prinnaf Eryri, dirgelwch y llwyddodd J. Lloyd Williams i'w ddatrys fel y cawn weld.

Treuliodd J. Lloyd Williams lawer o amser yn chwilota mynyddoedd Eryri am blanhigion prin ac roedd yn gyfarwydd iawn â safleoedd y *Lloydia,* eithr nid Lili'r Wyddfa oedd ei enw ef arni ond Lili Eryri; enw mwy addas, mi gredaf, gan fod y lili i'w chael ar safleoedd yn Eryri heblaw'r Wyddfa. Bu'n dywysydd botanegol i sawl ymwelydd o dro i dro a chanddo stôr o straeon difyr a digrif fel y cawn weld maes o law.

Wrth ddisgrifio'i daith i ben Carnedd Llewelyn yn ystod mis Awst, 1872, edrydd hanes Thomas Johnson (c. 1597-1644), yr apothecari o Lundain a ddaeth ar ymweliad â Gogledd Cymru yn ystod haf 1639. Prif bwrpas taith Johnson oedd cael gweld a gwneud casgliad o blanhigion diddorol yr ardal, planhigion nad oedd ef yn gyfarwydd â hwy cyn hynny. Cyfeirir at ymweliad Johnson â Chymru yn 1639 fel 'Simpling Voyage' a chan ei fod wedi cyhoeddi manylion o'i daith yn ddiweddarach, yr ydym yn ddyledus iddo am gofnodi tair ffaith bwysig. Yn gyntaf, ef oedd y teithiwr cyntaf i gyhoeddi rhestr o blanhigion brodorol Gogledd Cymru gan gynnwys planhigion Arctig-Alpaidd yr Wyddfa; yn ail, gadawodd i ni'r wybodaeth bod ei westeiwr, Thomas Glynne, sgweiar Glynllifon (m.

1648), yn fotanegydd brwd a gwybodus, ac yn drydydd ef oedd y cyntaf i gofnodi llogi tywysyddion lleol ar gyfer arwain ymwelwyr i'r mynyddoedd. Yn dilyn ei ymweliad â'r Wyddfa, arweiniwyd Johnson gan Thomas Glynne drosodd i Fôn lle cafodd wybod gan un o drigolion Biwmares am glogwyn cyfoethog ei blanhigion ar fynyddoedd y Carneddau. Clogwyni'r Ysgolion Duon ar Garnedd Dafydd yn ôl pob tebyg oedd y safle dan sylw. Llogwyd un o frodorion Llanllechid i'w harwain tua'r ucheldir, ond gwrthododd y tywysydd fynd yn agos at y clogwyni rhag ofn i'r eryrod, a oedd, meddai, yn ymosod ar anifeiliaid a'u bwrw drosodd, ymosod arnynt hwythau. Tra'n ymdrin â hanes ei daith yntau i ben Carnedd Llewelyn yn 1872 crybwyllodd J. Lloyd Williams iddo weld pâr o foncathod yn hofran uwchben ac aeth ymlaen i adrodd am y trafferthion a gafodd Johnson gyda'i dywysydd bron ddau gan mlynedd ynghynt:

> Rhaid bod y llysieuydd wedi cael gafael ar y llwfryn mwyaf gwlanennaidd yn y wlad, oblegid, i ddechrau, nid ydyw clogwyni'r Garnedd i'w cymharu â chreigiau erchyll Yr Wyddfa. Heblaw hynny, y mae'n debycach mai boncathod a welid o amgylch y mynydd – y mae llawer wedi camgymryd yr adar hyn am eryrod.[6]

Datgelir mwy o wybodaeth ganddo ynglŷn â botanegwyr ei fro enedigol, Dyffryn Conwy. Un a gydoesai â Salesbury oedd Thomas Wiliems neu Syr Tomos ap Wiliam (1545/6-1622?), ffisigwr, geiriadurwr, ysgrifwr ac offeiriad, a drigai yn Arddu'r Mynaich, ychydig bellter i'r gogledd o Drefriw. Fe gofir Thomas Wiliems yn bennaf am ei eiriadur Lladin-Cymraeg nas cyhoeddwyd ond y benthyciwyd yn helaeth ohono gan y Dr. John Davies, Mallwyd (1567-1644) fel sylfaen i'w *Antiquae Linguae Britannicae Dictionarium Duplex* (1632) sy'n cynnwys *Botanologium* a ddefnyddiwyd yn aml wedi hynny gan fotanegwyr eraill.

Er mai un o Lansantffraid Glan Conwy oedd John Williams (1801-1859) yn enedigol cofir ef yn bennaf am ei lyfr *Faunula Grustensis* a gyhoeddwyd yn Llanrwst yn 1830 ac a ddisgrifir gan J. Lloyd Williams fel 'llyfr diddorol'. Fe'i cyflwynir i fotanegydd blaenllaw arall o Gymro, sef John Wynne Griffith (1763-1834) o'r Garn, Henllan, Dinbych, a cheir ynddo ddetholiad o enwau anifeiliaid, planhigion a mwynau plwyf Llanrwst, gyda ffeithiau diddorol ynglŷn â hanes, masnach ac amaethyddiaeth Dyffryn Conwy. Y rhestr planhigion oedd y peth pwysicaf yn y *Faunula Grustensis* i'r botanegydd, a chydnebydd yr awdur arbenigedd Richard Roberts, y melinydd o Felin-y-coed, Llanrwst, gan ei ddisgrifio fel 'a natural genius for Plants', ffaith bwysig sy'n profi bod gennym yng Nghymru naturiaethwyr hunan-addysgedig o blith y dosbarth gweithiol.

Ar ymylon tudalennau ei gopi personol o *Arrangement of British Plants* William Withering roedd Richard Roberts wedi nodi cynefin pymtheg planhigyn hadlysieuol a thri math o redyn a welodd yn tyfu ym mhlwyf Llanrwst. Roedd botanegwyr o'r dosbarth gweithiol yn ddigon cyffredin mewn rhannau o Loegr ar y pryd, yn enwedig yn swyddi Efrog a Chaerhirfryn yn ardaloedd y diwydiant cotwm. Llwyddodd rhai o'r gwehyddion hunan-addysgedig hyn i'w cymhwyso'u hunain i ddod yn arbenigwyr ymysg gwyddonwyr dysgedig, nid yn unig ar blanhigion hadlysieuol, ond hefyd ar fwsogl fel y gwnaeth John Nowell o Todmorden. Ar wahân i Richard Roberts, Melin-y-coed roedd gan Gymru fotanegwyr eraill o'r dosbarth gweithiol cyffelyb i'r *Artisan Botanists* o Loegr. Dywedodd Hugh Derfel Hughes yn ei lyfr *Hynafiaethau Llandegai a Llanllechid* (1866) bod rhedyn wedi bod yn 'ffrwyth ymchwiliad hen lysieuwr profiadol a barf-wenllaes; yr hwn a fu fyw mewn bwth ar lan Llyn Ogwen am yr hanner canrif diweddaf.' John Davies, Pen y Benglog, yn ddiweddarach o Fraich Tŷ Du, oedd hwn a chyhoeddodd restr o enwau rhedyn o'i gasgliad. Botanegydd arall a berthyn i'r un mowld oedd William Williams, tywysydd a wasanaethai Westy'r Victoria, Llanberis, ac a gyfarfu â'i ddiwedd pan dorrodd ei raff tra'n casglu rhedyn ar Glogwyn y Garnedd, Yr Wyddfa.

Mae'n amlwg fod J. Lloyd Williams yn gyfarwydd â'r *Faunula Grustensis,* a gwyddai hefyd am y dirgelwch a grewyd gan John Ray pan gyhoeddodd yn ei lyfr enw safle'r Dduegredynen Fforchog *(Asplenium septentrionale)* fel hyn: *'In muris antiquis Llan-Dethylæ uno circiter milliari a Llanrhoost aquilonem versus'.* Fel y gŵyr pawb nid oes y fath le â Llandethylæ yng nghyffiniau Llanrwst nac ychwaith yn unman arall yng Nghymru. O ganlyniad, esgorodd y camddehongliad hwn yng ngwaith mawr John Ray ar gyfres o gamgymeriadau eraill a dyfodd fel caseg eira yn y rhestrau safleoedd a gyhoeddwyd mewn llyfrau rhedyn diweddarach. Cyfaddefodd John Williams hyn ynglŷn â'r enw amwys: 'I cannot find this plant; it is inserted upon the authority Mr. Ray gives us in his Synopsis; it is something ambiguous, for we have no place near here called Llandethylae.' Honnai J. Lloyd Williams y gwyddai am 'gryn ddwsin' o safleoedd lle tyfai'r

Dduegredynen Fforchog yng nghyffiniau Llanrwst, ac yntau'n frodor o'r ardal cyfeddyf iddo bendroni llawer dros ddirgelwch 'Llandethylæ'.

Yn ei dro fe gafwyd yr esboniad, a hynny mewn modd annisgwyl. Yn ystod y bedwaredd ganrif ar bymtheg roedd enw William Pamplin (1806-1899) yn adnabyddus fel cyhoeddwr a dosbarthwr llyfrau gwyddonol. Ef hefyd oedd cyhoeddwr y cylchgrawn botanegol *Phytologist* o 1855 i 1863, cyn iddo ymddeol a symud i fyw o Lundain i Landderfel. Collodd ei wraig ac yn ôl J. Lloyd Williams ail-briododd gyda'i howscipar, ac yn ystod y cyfnod pan oedd Pamplin yn wael dechreuodd hi rannu ei lyfrau rhwng cymdogion. Roedd diddordeb mewn hanes botaneg gan D. A. Jones (1861-1936), cyfaill agos i J. Lloyd Williams a oedd yn ysgolfeistr yn Harlech ar y pryd. Aeth D. A. i ymweld â Pamplin (a fu'n orweddiog ers tair blynedd) yn 1897 er mwyn cael cyfle i brynu rhai o'i lyfrau a chafodd afael ar sawl cyfrol brin a phwysig yn ymwneud â'r wyddor, ynghyd â thoreth o rifynnau o'r cylchgrawn *Phytologist.* Mewn llythyr at J. Lloyd Williams, dyddiedig 30 Tachwedd y flwyddyn honno dywed D. A. Jones mai un o'r llyfrau a brynodd gan Pamplin oedd *Synopsis* John Ray a chadarnhawyd hyn yn ddiweddarach mewn erthygl gan J. Lloyd Williams a gyhoeddwyd yn y *Western Mail.*[7] Cyhoeddwyd y trydydd argraffiad o'r *Synopsis* yn 1724 gan yr Athro Johann Jacob Dillenius (1684-1747) o Rydychen, a fu ar daith lysieua i Ogledd Cymru gyda Samuel Brewer (1670-1743) yn 1726, gyda chyfarwyddiadau mewn llythyr gan y Dr. Richard Richardson (1663-1741) ar gyfer dod o hyd i'r cynefinoedd gorau am blanhigion prin: llythyr y gellid dadlau ei fod yn rhagflaenydd i'r *Guide Books* poblogaidd diweddarach. Roedd Richardson yn gyfaill i Edward Lhuyd a bu'r ddau yn llysieua yn Eryri yng nghwmni ei gilydd. Ymddengys mai'r ail gyhoeddiad (1696) o'r *Synopsis* a brynodd D. A. Jones gan Pamplin a bu'r copi hwn unwaith yn eiddo i Richardson; ar ymyl y dudalen lle roedd y disgrifiad o'r Dduegredynen Fforchog roedd 'Llandegla near Llanrwst' wedi ei nodi mewn llawysgrifen. 'Llandegla' yn sicr oedd y cofnod gwreiddiol, a rhaid bod y copïydd cynharaf wedi camddarllen Llandegla fel Llandethylæ, a bod awduron diweddarach wedi dilyn hynny heb feddwl bod dim o'i le arno. Ond mae ychydig o ddirgelwch yn parhau eto ynglŷn â'r gosodiad. Pam dweud 'Llandegla near Llanrwst'? O gofio mai marchogaeth milltiroedd o Loegr i Ogledd Cymru a wnaeth y botanegwyr cynnar hyn efallai nad oedd Llandegla yn ymddangos mor bell â hynny o Lanrwst iddynt hwy; pwy a ŵyr? Yn sicr ni chofnodwyd y

Dduegredynen Fforchog o Landegla gan unrhyw fotanegydd wedyn.

Fel dilyniant i'r hanes hwn cyhoeddwyd llythyr dyddiedig 6 Rhagfyr 1937 oddi wrth H. A. Hyde, Ceidwad Adran Botaneg Amgueddfa Genedlaethol Cymru, yn y *Western Mail.* Byrdwn llythyr Hyde oedd sicrhau bod y copi o *Synopsis* John Ray a brynodd D. A. Jones gan Pamplin bellach ar gadw yn llyfrgell Adran Fotaneg yr Amgueddfa Genedlaethol gan ychwanegu:

> It contains numerous manuscript notes in the hand of its original owner, Dr. Richard Richardson, F.R.S., who, together with Edward Lhwyd, was one of the first to explore fully the botanical riches of North Wales. In particular, the marginal note on *Asplenium septentrionale* (page 47), to which Dr. Lloyd Williams refers, reads: "On some dry walls at Llan Degla, nigh Lhan Rhoost, [sic] Denbyshire, [sic] observed Jun: 29 1711.

Ar yr ochr fewnol i glawr y llyfr mae plât ag enw Mathew Wilson arno (ef a briododd weddw Henry Richardson (1758-1784), ŵyr Richard Richardson) ynghŷd â'r arysgrif: 'William & Caroline Pamplin, 1840.' Drwy'r wybodaeth hon gellir dilyn perchenogaeth y llyfr pwysig hwn yn ddi-fwlch o ddiwedd yr ail ganrif ar bymtheg i'r amser presennol.

Llwyddwyd, o ganlyniad i weithrediad D. A. Jones ynglŷn â sefyllfa llyfrau Pamplin, i arbed nifer o lyfrau gwerthfawr rhag mynd rhwng y cŵn a'r brain. Yn ddiweddarach aeth yr Athro R. W. Phillips o Fangor a Llew Tegid i Landderfel i brynu'r gweddill o gyfrolau Pamplin ac aeth rhai ohonynt, yn ôl J. Lloyd Williams, i'r Amgueddfa Brydeinig a llyfrgelloedd eraill. Mae'n ffaith bod Llew Tegid, yn 1908,[8] wedi cael cyhoeddi cyfieithiad o'r rhan o lyfr Thomas Johnson *Mercurii Botanici Pars Altera* (1641), sy'n adrodd hanes taith 1639 yr apothecari i Ogledd Cymru, o'r Lladin gwreiddiol i'r Saesneg.

Ymysg papurau J. Lloyd Williams yn y Llyfrgell Genedlaethol mae llythyr gyda'r pennawd 'Llanwddyn Vicarage, Oswestry' oddi wrth y Parchedig John Williams, sef mab John Williams, awdur y *Faunula Grustensis.* Mae'n amlwg o'i ddarllen mai ymateb oedd y llythyr i gais gan J. Lloyd Williams am fanylion parthed bywyd John Williams. Ymddengys i'r Parchedig John Williams anfon bywgraffiad byr o'i dad ynghyd â'i gasgliad planhigion a'i bapur *Essay on the Food of Plants* a ysgrifennwyd yn 1842, i adran Fotaneg Coleg Bangor yn 1902 lle'r oedd J. Lloyd Williams ar y pryd. Cyhoeddwyd bywgraffiad o John Williams ynghyd â llun ohono gan H. E. Forrest yn ei lyfr *The Vertebrate Fauna of North Wales* (1907). R. W. Phillips oedd pennaeth adran Botaneg Coleg Bangor ar y pryd ond bellach nid oes neb a ŵyr hynt y casgliad planhigion, er i sawl botanegydd holi yn ei gylch yn ystod y ganrif a aeth heibio. Yn ei lythyr at J. Lloyd Williams dywed y rheithor ffaith ddiddorol ynglŷn â theulu ei dad. Ymddengys bod Cadwaladr Williams, tad John Williams yn gefnder i'r Parchedig John Jones, Tal-y-sarn (1796-1837), drwy fod eu tadau yn frodyr.

Soniwyd yn gynharach am yr Athro Dillenius o Rydychen a fu ar daith lysieua i Ogledd Cymru yn 1726. Dichon fod Dillenius o ddiddordeb arbennig i J. Lloyd Williams gan ei fod yn enedigol o'r Almaen ac wedi dod drosodd i Brydain er mwyn cael cyfle i ganolbwyntio ar astudiaeth o'r planhigion isel fel mwsogl, llysiau'r afu, ffwng ac alga. Algâu môr oedd y maes a ddewisodd J. Lloyd Williams i wneud ei ymchwil ynddo ac yr oedd hanes un o arloeswyr y maes yn sicr o ennyn ei ddiddordeb. Gwnaeth ddefnydd o'i ymchwil i hynt a helynt teithiau Dillenius a Brewer mewn ysgrif newyddiadurol[9] a dyfynna o ddyddiadur Samuel Brewer, cydymaith Dillenius, a gyhoeddwyd fel atodiad gan y *Botanical Society and Exchange Club* yn 1931.[10] Yn ôl yr atodiad roedd dyblygiadau o sbesimenau Brewer, ynghyd â'r llythyrau a anfonodd Dillenius at Brewer pan oedd hwnnw yng Nghymru, ar gadw yn y *Royal College of Science* yn South Kensington lle bu J. Lloyd Williams ei hunan yn astudio gwymon rhwng 1893 ag 1897. O gofio hynny gallwn fod yn sicr ei fod yn hen gyfarwydd â'r casgliad hwn.

Yn dilyn ymadawiad Dillenius ar ddiwedd haf 1726 arhosodd Brewer yng Ngogledd Cymru am weddill y flwyddyn, ac am y rhan fwyaf o 1727, gan gadw cofnod o'i deithiau yn ei ddyddiadur. Cofnodwyd tair-ar-ddeg taith i'r Wyddfa ganddo, ynghyd â saith i'r Glyderau i gasglu sbesimenau o blanhigion a'u hanfon i Dillenius iddo gael eu henwi a chadw set gyflawn ohonynt, gydag anfon unrhyw ddyblygiadau yn ôl i'r casglwr. Ymddengys na welodd Brewer unrhyw blanhigyn prin nad oedd eisoes yn wybyddus i wyddoniaeth trwy gyhoeddiadau arloeswyr fel Lhuyd a Ray, ond ystyrid ei gofnodion o'r planhigion cyffredin a welodd yn recordiadau newydd. Y rheswm am hyn oedd nad oedd yr ymwelwyr cynharaf yn cymryd fawr sylw o'r planhigion cyffredin gan eu bod eisoes yn gyfarwydd â'u gweld yn tyfu o amgylch eu milltir sgwâr eu hunain.

Gan fod J. Lloyd Williams yn aelod o'r *Botanical Society and Exchange*

Club, mae'n debyg bod ganddo gopi o'r atodiad printiedig o ddyddiadur Brewer, ond mewn erthygl newyddiadurol arall o'i eiddo mae'n awgrymu iddo weld copi adysgrifol o ddyddiadur Brewer. Ni ŵyr neb beth a ddaeth o gopi gwreiddiol dyddiadur Brewer ond yn unol â'r hen draddodiad o gopïo llawysgrifau pwysig gwnaed adysgrif ohono gan fwy nag un botanegydd. Yn yr un modd ag a ddefnyddid i ehangu'r wybodaeth gyntefig am ddefnydd meddygol planhigion, felly hefyd y defnyddid gwybodaeth am safleoedd y planhigion arbennig ar gyfer yr astudiaethau diweddarach.

Llwyddodd Hugh Davies (1739-1821), awdur y *Welsh Botanology,* drwy gymorth ei gyfeillion dylanwadol yn y byd botanegol, i gael cyfle i wneud copi o ddyddiadur Brewer. Yn ddiweddarach daeth yr ysgriflyfr hwn i feddiant J. E. Griffith (1843-1933), Bangor, botanegydd arall o Gymro ac awdur y *Flora of Anglesey and Carnarvonshire* (1894/5) a'r *Pedigrees of Anglesey and Carnarvonshire Families* (1914). O gofio bod J. Lloyd Williams yn byw ym Mangor o Hydref 1897 hyd at 1915 ac yn adnabod Griffith, mae'n eithaf posibl iddo fenthyca ysgriflyfr Hugh Davies a gwneud copi ohono at ei ddefnydd ei hun, ond os gwir hyn ni ddaeth y copi hwnnw i'r fei hyd yn hyn. Yn 1927 trosglwyddwyd yr ysgriflyfr, ynghyd â nifer o lyfrau eraill a berthynai i J. E. Griffith, i Adran Fotaneg Amgueddfa Genedlaethol Cymru yng Nghaerdydd, ac o gopi Hugh Davies, trwy J. E. Griffith, yr argraffwyd dyddiadur Brewer.

Apeliai dyddiadur Brewer at J. Lloyd Williams am ei fod yn gallu uniaethu â'r teithiau casglu a gofnodir ynddo; gwyddai cystal â neb am y clogwyni peryglus a oedd yn gynefin i'r planhigion Arctig-Alpaidd gan ei fod yntau wedi eu dringo sawl tro. Ond roedd darllen am y mathau o wymon a gasglodd Brewer ar lannau'r Fenai yn siŵr o fod wedi swyno J. Lloyd Williams hefyd gan ei fod wedi gwneud astudiaeth fanwl o'r tylwyth arbennig hwn. Gallai rannu profiad gyda'r dyddiadurwr gan yr ystyriai Gulfor Menai y labordy gorau yn y byd, yn doreithiog ei gynhaeaf o wahanol fathau o wymon. Dyma fel y cofnododd Brewer ei brofiad yno:

> I never saw before so great a variety of Conferva, Coralinae, and Fucoides as I found in this place, nor so pleasant a sight in the great variety of colour and structure.[11]

Gwnaeth J. Lloyd Williams ddatganiad cyffelyb:

> ... daeth Phillips a minnau yn gyfarwydd â'r Swilis â'r mân

ynysoedd, a chael llawer helfa dda o wymon diddorol yno. Oherwydd y *Double Tides* a red trwodd, a'r cerrynt chwyrn, y mae'r dyfroedd yn lanach ac wedi eu hawyro'n well nag yn yr un glan môr y gwn i amdano. Oherwydd hyn y mae'r gwymon yno yn iachach a chryfach, ac yn ffrwytho'n well nag yn unman bron. Yn ddiweddarach cefais achos diolch am hyn, oblegid dyna un o'r rhesymau imi ddigwydd llwyddo i ddatrys problemau a heriasai holl ymdrechion rhai o brif lysieuwyr y Cyfandir er canol y ganrif ddiwethaf.[12]

Er bod cychwyniad gwymoneg fel pwnc gwyddonol yn cael ei gyfrif yn rhan o gelfyddyd y gorllewin profwyd bod yr ysgrifau cynharaf ynglŷn â defnydd ymarferol alga i'w cael yn yr hen glasuron Tsineaidd, lle mae sôn am gasglu a bwyta'r planhigion, yn ogystal ag am ddefnydd meddygol o'r rhywogaethau, fel y *Laminaria.* Tystia Hugh Davies yn ei *Welsh Botanology* i Feddygon Myddfai wneud defnydd o'r gwymon *Tremella* ac roedd yntau wedi ei ddefnyddio'n llwyddiannus i iro llosg eira ymfflamychol. Tystia'r meddyg William Withering yn ei lyfr *An Arrangement of British Plants* bod ffermwyr yn arfer defnyddio'r gwymon *Fucus* (Gwyg y môr) fel gwrtaith a pharhaodd yr arferiad hwn tan yn ddiweddar yng Nghymru. Soniodd Withering hefyd am salad yn cynnwys Gwyg y môr, ac mae'r gwymon bwytadwy arall, Bara Lawr *(Porphyra),* yn boblogaidd iawn o hyd mewn rhannau o Dde Cymru, gan gynnal diwydiant lleol llewyrchus yno ers cenedlaethau.

Un o'r astudiaethau arbenigol gan garfan leiafrifol o fiolegwyr yw gwymoneg ac yn ystod oes Brewer rhannwyd y rhan fwyaf o'r algâu i bedwar tylwyth yn unig; *Fucus, Corallina, Ulva* a *Conferva,* ac ychwanegwyd *Tremella* gan Linneaus yn ddiweddarach yn ystod y ddeunawfed ganrif.[13] Gwnaeth John Ray gyfraniad i'r astudiaethau cynnar ar wymon ac ysgrifennodd Dillenius hefyd yn awdurdodol ar y pwnc ond tasg anodd hyd yn oed i arbenigwr erbyn heddiw, o ddarllen ysgrifau'r gwŷr hyn, yw penderfynu at ba rywogaethau y maent yn cyfeirio. O'r ochr arall efallai y buasai gan Brewer well syniad o ddeall y drefn gyfoes o ddosbarthiad y rhywogaethau *(genera)* nag a fuasai gan fotanegydd modern o ddeall yr hen drefn. Rhaid cofio mai diffyg offer optegol addas ar gyfer astudio ffurfiant, syniadau rhagfarnllyd, a phrinder sylw beirniadol oedd i gyfrif am y system ddosbarthu amrwd hon.

Nid oedd system yn bodoli yr adeg honno a oedd yn hwyluso adnabod, trefnu ac enwi planhigion, gyda'r canlyniad bod yr anhawster hwn yn rhwystr i ddyfodol datblygiad yr wyddor. Cyhoeddodd y Swediad Carolus Linnaeus (1707-1778) ei lyfr *Species Plantarum* yn 1753 a gynhwysai enw pob planhigyn a oedd yn wybyddus i wyddoniaeth ar y pryd, a'r un pryd rhestrodd y planhigion gan ddefnyddio system ddosbarthu newydd. Roedd system Linnaeus yn seiliedig ar ddosbarthu'r planhigion yn ôl niferoedd a threfniant yr organau rhywiol a rhoddwyd enw i bob planhigyn a oedd yn cynnwys dau air yn unig; enw'r rhywogaeth yn gyntaf ac yna enw disgrifiadol a oedd yn ei wahaniaethu oddi wrth bob rhywogaeth o'r un teulu. Mae hyn yn cyfateb i'r modd y defnyddiwn ni gyfenwau ac enwau bedydd a'r canlyniad oedd i system Linnaeus fod o fudd mawr i fotaneg gan wneud y gwaith o gatalogio planhigion yn llawer haws. Y system hon a ddefnyddir heddiw. Roedd yr ymgais a wnaed gan John Ray ac Edward Lhuyd i geisio perffeithio system o drefnu enwau planhigion, drwy eu gwahanu yn ôl eu teuluoedd, yn un drafferthus oherwydd bod yr enwau hirfaith a lletchwith yn gwneud yr holl beth yn anhylaw. Dyma, fel enghraifft, sut yr ymddangosodd enw Lili'r Wyddfa yn *Synopsis* (1724) John Ray: *Bulbosa Alpina juncifolia, pericarpio unico erecto in summo cauliculo dodrantali.*[14] Yn dilyn ad-drefniad Linnaeus cafodd ei hail-fedyddio drwy leihau'r enw i ddau air, *Anthericum serotinum* i ddechrau, hyd nes penderfynwyd anrhydeddu'r darganfyddwr, a *Lloydia serotina* yw hi bellach. Ond yr oedd y drefn yn ei chyfanrwydd yn wahanol yn ystod oes Linnaeus i'r hyn ydyw erbyn hyn. Er ei fod yn rhoi'r enw *Algae* ar un drefn o blanhigion nid oedd Linnaeus yn eu gwahanu yn yr un modd ag a wneir heddiw; yr oedd ei drefn *Algae* ef yn cynnwys llysiau'r afu *(Hepaticae)* hefyd. Ymgynullwyd llysiau'r afu'n ddiweddarach ynghyd â'r alga, cen a ffwng dan yr enw *Thallophyta* ac mae'n parhau felly o hyd, yn enwedig yn system Eichler sy'n rhannu planhigion i'r pedwar prif-raniad canlynol: *Thallophyta* (alga, cen a ffwng), *Bryophyta* (mwsogl a llysiau'r afu), *Pteridophyta* (rhedyn) a *Spermatophyta* (hadlysiau: e.e., coed, blodau, gweiriau, etc.).

Ganed J. Lloyd Williams yn ystod 'oes aur' tacsonomeg planhigion, gan mai rhwng y blynyddoedd 1800 ac 1875 y gwnaed darganfyddiadau chwyldroadol ymhlith y planhigion cryptogamig a'r rhai hadlysieuol. Y ddau waith mawr ar wymoneg yr adeg honno oedd y *Manual of British Algae* a'r *Phycologia Britannica* gan William Henry Harvey (1811-66), brodor o

Limerick, a ysgrifennai'n athronyddol ac yn wyddonol ar ei bwnc; bu'n flaenllaw hefyd yn sefydlu amryw o rywogaethau newydd. Cyfrolau Harvey oedd y prif waith safonol ar wymoneg yn ystod blynyddoedd cynnar J. Lloyd Williams, a bu amryw argraffiadau o *Handbook of the British Flora* gan George Bentham a J. D. Hooker yn boblogaidd iawn ymysg cenedlaethau o fotanegwvr y cyfnod ar gyfer adnabod y planhigion hadlysieuol.

Roedd y mwyafrif o deuluoedd yr algâu wedi eu disgrifio cyn, neu yn fuan wedi 1875, ac yn ystod yr un cyfnod datblygodd dosbarthiad daearyddol planhigion i fod yn brif astudiaeth ymysg botanegwyr. Ond i raddau ym Mhrydain o leiaf, parhau a wnâi botaneg yn y bedwaredd ganrif ar bymtheg i lynu wrth yr hen arferiad sylfaenol o gasglu planhigion. Ffurfio casgliad cyflawn, *Hortus Siccus* (gardd sych) oedd y nod yn ôl trefn dderbyniol y cyfnod os oedd rhywun am gael ei dderbyn gan y sefydliad Byd Natur fel un a oedd o ddifrif. Ar wahân i fotanegwyr 'go iawn' mabwysiadwyd y casglu hefyd fel hobi gan aelodau o'r dosbarth canol ac uwch fel gweithgaredd a oedd yn dderbyniol, addysgiadol a ffasiynol. Fel hyn y rhoddodd J. Lloyd Williams drem yn ôl ar y byd botanegol mewn ysgrif a gyhoeddwyd yn 1937:

> Rhyfedd ydyw sylwi mor wahanol ydyw agwedd meddwl llysieuwyr heddiw at blanhigion i'r hyn a gynhyrfai eu diddordeb yn y wyddor gan mlynedd yn ôl. Heddiw defnyddir llygad a meicrosgop i geisio datrys cywreinion adeiladwaith y planhigion, a gwneir arbrofion celfydd a ddengys fod eu bywyd hwy yr un o ran ei natur a'i synhwyrau â'r eiddom ninnau.
>
> O hyn fe gyflawnheir y bardd Seisnig a ddywedodd, wrth ddal chwynyn distadl o'r mur ar ei law: "Pe deallwn i di, fe ddeallwn Dduw a dyn". Ond yn yr hen amser, ar wahân i gasglu llysiau meddygol, dau brif ddiddordeb oedd gan lysieuwyr. Un oedd ffurfio casgliad o bob math o lysiau wedi eu sychu a'u henwi, yn union fel casglu stampiau. Y llall oedd gwybod trigfan pob llysieuyn prin; a gwell fyth, gallu dweud ei fod wedi gweld y llysiau yn fyw yn y lleoedd hynny. Canlyniad hyn oll oedd rhoddi gwerth ar bob llysieuyn prin, ac ystyried grug y mynydd yn rhy "gomon" i'w gyfrif, er bod cymaint o Dduw yn hwnnw ag yn y dryas [Derig: *Dryas octopetala*], na thyf ond ar un clogwyn yng Nghymru gyfan.

Ond na ddirmyger y llysieuydd am hyn. Oni cheir peth cyffelyb ynglŷn â stampiau prin, neu ddodrefn prin, neu'r argraffiad cyntaf o lyfr nad oes ond un copi ohono yn y byd i gyd?

Amdanaf fy hun, er hoffed oeddwn o fyd y meicrosgop, mwynhawn hefyd grwydro mynyddoedd a dringo clogwyni ar ôl llysiau anghyffredin: ond nid i'w codi a'u sychu, a ffurfio herbarium ohonynt, ond gwneuthur cyfeillion ohonynt.[15]

Roedd darganfod safle newydd i blanhigyn prin yn rhoi gwefr arbennig i fotanegwyr oes Victoria, ac oherwydd y casglu anghymedrol rhaid oedd cadw pob safle newydd yn gyfrinach. Dyna'r rheswm dros yr holl gyfeiriadau amwys at safleoedd a nodir yng nghyhoeddiadau botanegol yr oes, a hawdd deall hyn o gofio bod tystiolaeth ar gael am rai casglwyr yn mynd mor bell â dilyn a gwylio botanegwyr eraill er mwyn darganfod lleoliad planhigyn prin. Doedd neb cystal a botanegwyr oes Victoria am gadw cyfrinachau, a datblygodd J. Lloyd Williams i fod yn feistr ar y grefft honno drwy brofiad personol digon chwerw, fel y cawn weld mewn pennod ymhellach.

Llyfr Turner a Dillwyn *The Botanist's Guide through England and Wales* (2 gyf., 1805) oedd y gwaith cyntaf i drafod yr astudiaeth ar ddosbarthiad daearyddol planhigion drwy eu rhestru sir wrth sir. Ymhelaethwyd ar y gwaith hwn gan Hewitt Cottrell Watson (1804-81) a arloesodd system oedd wedi ei sylfaenu ar rannu Prydain yn rhannau a alwai yn *vice-counties* gan ddechrau gyda Chernyw, rhif 1, a gorffen gydag Ynysoedd y Shetland, rhif 112. Daeth syniad cychwynnol Watson i'r amlwg yn ei lyfr cyntaf *Outlines of the Geographical Distribution of British Plants* (1832), a phery'r system hon i gael ei defnyddio gan Gymdeithas Fotanegol yr Ynysoedd Prydeinig. Cyhoeddodd Watson ei *The New Botanist's Guide to the Localities of the rarer Plants of Britain* mewn dwy gyfrol yn 1835 ac 1837 gan ddilyn patrwm llyfr cynharach Turner a Dillwyn (1805), sef llunio detholiad sirol o'r holl blanhigion brodorol. Dibynnai Watson i raddau helaeth ar gyfraniadau o sbesimenau planhigion a anfonid iddo gan fotanegwyr lleol o wahanol rannau o'r wlad a chyhoeddodd ei *Topographical Botany* mewn dwy gyfrol yn ystod 1873-4. Diweddarwyd y cyfan mewn cyfrol a gyhoeddwyd yn 1883, ddwy flynedd wedi ei farw. Roedd system Watson wedi ei pherffeithio erbyn hynny a gwelir ei defnyddio am y tro cyntaf yn y cyfrolau hyn. Yr ychwanegiad diweddaraf i'r astudiaeth hon oedd cyhoeddi y *New Atlas of the British and Irish Flora* yn 2002 sy'n cofnodi drwy gyfrwng mapiau ddosbarthiad pob blodyn a rhedynen yn y gwledydd hyn.

Mae i bob sir ei chynefin nodweddiadol am blanhigion: Morfa Harlech a Chadair Idris ym Meirionnydd, traethau a chorsydd Môn, arfordir creigiog Penfro, Penrhyn Gŵyr ym Morgannwg, bryniau Breiddin yn Nhrefaldwyn, Bannau Brycheiniog a thir calchog sir Fflint. Eithr nid enynnodd yr un o'r mannau hyn gymaint o ddiddordeb y botanegydd ag a wnaeth yr hen sir Gaernarfon ac o ganlyniad cofnodwyd ei hamrywiol lysiau yn gynharach nag a wnaed yn un o'r siroedd eraill yng Nghymru. Cynefinoedd planhigion Arctig-Alpaidd prin Eryri oedd y prif atyniad ond dylid cofio bod calchfaen Penygogarth hefyd wedi cael bron cymaint o sylw.

Trafodwyd yn flaenorol y pwysigrwydd o gael cyfarwyddiadau ar gyfer hwyluso'r gwaith o ddod o hyd i safleoedd y planhigion prin drwy wneud enghreifftiau o lythyr Richardson, a ddefnyddiodd Dillenius a Brewer fel arweinlyfr yn 1726-7, a hefyd y copïau o ddyddiadur Brewer a ddefnyddiwyd i'r un perwyl gan Hugh Davies a J. E. Griffith yn ddiweddarach. Cyhoeddwyd llythyr Richardson gan Dawson Turner (1775-1858) yn 1835 mewn cyfrol dan y teitl *Extracts from the Literary and Scientific Correspondence of Richard Richardson, M.D., F.R.S.,* ac meddai am y llythyr: 'I wish I could have had it with me in 1802.' Cyfeirio yr oedd at yr adeg pan oedd yn paratoi ei *Botanist's Guide* (1805) gyda Lewis Weston Dillwyn (1778-1855), ac yn amlwg yn cofio'r anawsterau a brofodd tra'n chwilota yn Eryri. Yn ystod blynyddoedd olaf y ddeunawfed ganrif cyhoeddwyd nifer o lyfrau taith gan ymwelwyr *dilettante* o'r dosbarth canol, yn offeiriaid eglwys, myfyrwyr a doctoriaid. Prif bwnc y cyfrolau hyn yw topograffeg ond ceir sawl sylw diddorol am blanhigion ynddynt hefyd. Fel atodiad i'w gyfrolau ef mae William Bingley wedi cynnwys catalog o blanhigion dan y teitl *Flora Cambrica* gan restru enwau a safleoedd y rhai mwyaf arbennig, er na welodd yn glir gydnabod mewn print mai gan John Wynne Griffith, Y Garn, Henllan, y cafodd y rhan fwyaf o'i wybodaeth. Daeth botaneg maes mor boblogaidd yn ystod y bedwaredd ganrif ar bymtheg fel mai anghyffredin oedd gweld arweinlyfr heb gyfeiriad ynddo at fotaneg yr ardal. *Welsh Botanology* (1813) Hugh Davies oedd y *Flora* sirol gyntaf i gael ei chyhoeddi ar unrhyw sir yng Nghymru ac ymddangosodd rhestr o enwau planhigion sir Gaernarfon fel atodiad i lyfr Peter Bailey Williams *The Tourist's Guide through the County of Caernarvon* (1821). Yn

1835 argraffodd Thomas Gee waith y Parchedig Robert Williams, *The History and Antiquities of the town of Aberconwy* gan gynnwys rhestr o enwau planhigion diddorol ardal y Creuddyn. Tua 1850 cyhoeddodd Hugh Humphreys, Caernarfon, arweinlyfr i'r Wyddfa a gynhwysai restr o enwau planhigion o lyfr-poced y tywysydd William Williams a grybwyllwyd yn gynharach, ac yn ddiweddarach cyhoeddwyd adroddiadau ar blanhigion mewn cyhoeddiadau o'r *Gossiping Guide to Wales* a'r *Jenkinson's Practical Guide to North Wales.*

Cafodd rhedynau sylw arbennig gan fotanegwyr 'go iawn' a'r rhai 'ffasiynol' o dridegau y bedwaredd ganrif ar bymtheg ymlaen ac fe barhaodd y diddordeb ynddynt am y rhan fwyaf o'r ganrif. Does neb a ŵyr yn iawn pam yr apeliodd rhedyn gymaint at y Victoriaid mwy nag un math arall o blanhigion ond fe ysgubodd y chwiw gasglu ryfedd hon drwy'r Ynysoedd Prydeinig fel tân gwyllt. Y nod yn hyn o beth oedd cael casgliad cyflawn o redynau marw wedi eu sychu a'u gwasgu mewn albwm, neu ar gyfer eu trawsblannu i ardd neu i'w dangos mewn *Wardian Case* ffasiynol. Gyda'r elfen gystadleuol yn gryf ymhlith y casglwyr a phawb am y gorau i gael casgliad cyflawn daeth yr arferiad o ffeirio sbesimenau i fod a dyna sut y dechreuodd y *Botanical Society and Exchange Club,* rhagflaenydd y *Botanical Society of the British Isles.* Gan nad yw nifer y gwahanol fathau o redyn sy'n gynhenid i Brydain yn fawr llwyddwyd i gael casgliad cyflawn yn weddol rwydd ac er mwyn ennyn mwy o sialens a diddordeb yn y pwnc aethpwyd ati i chwilio am amrywiadau o fewn y prif rywogaethau. Esgorodd hyn ar gymaint o amrywiadau ac isrywogaethau nes bod y cyfan wedi mynd yn hollol anymarferol ac erbyn heddiw nid yw'r gwahaniaethau sydd rhyngddynt yn cael eu hystyried yn ddigonol i hawlio eu gwahanu.

Roedd botanegwyr wedi bod yn ymweld â Chymru ers o leiaf yr ail ganrif ar bymtheg, ond erbyn y bedwaredd ganrif ar bymtheg roeddynt yn gorfod cystadlu â'r casglwyr ffasiynol am blanhigion. Fel roedd y galw am redyn yn cynyddu, tyfu hefyd a wnaeth y meithrinfeydd a oedd yn arbenigo ynddynt, gyda'r canlyniad bod y meithrinwyr, pan fyddent yn methu â magu digon eu hunain i gyfateb â'r alwad, yn cynnal teithiau casglu allan i gefn gwlad er mwyn atgyflenwi'r stoc a rhoi pwysau ychwanegol ar gynnyrch naturiol y wlad. Sylweddolodd y bobl gyffredin bod lle i elwa allan o'r chwiw redynog a dechreuasant hwythau eu casglu a'u gwerthu i'r ymwelwyr a oedd yn cynyddu'n sylweddol fel yr âi'r ganrif yn ei blaen. Canlyniad hyn oll oedd bod planhigion brodorol Cymru, yn enwedig y rhai prin, yn cael eu casglu bron at ddifancoll, a'r teimlad a geir yw nad oedd neb yn malio am ddyfodol na chynefin na rhywogaeth. Nid yw hynny'n hollol wir fodd bynnag gan fod arwyddion i'w gweld yn weddol gynnar yn ystod y bedwaredd ganrif ar bymtheg bod yr holl ddifa yn peri cryn bryder i rai. Mynegodd J. Lloyd Williams ei farn yn huawdl ynglŷn â thranc y planhigion o ganlyniad i agwedd hunanol anghyfrifol y 'rheibwyr', chwedl yntau ac roedd eraill o'r un farn. Ar wahân i ysgolheigion roedd ambell dywysydd hefyd yn dechrau sylweddoli bod dyfodol y planhigion prin yn y fantol a cheir bod William Williams[16] (Wil Boots), Llanberis, arbenigwr ar safleoedd planhigion Arctig-Alpaidd Eryri wedi cymryd camrau cadarnhaol i geisio sicrhau eu dyfodol. Penderfynodd greu gwarchodfa ar ffurf pysgodlyn gerllaw glannau Llyn Padarn, Llanberis, gyda'r bwriad o wneud mân ynysoedd arno er mwyn trawsblannu blodau a rhedynau prin. Diflannodd y llain tir gwlyb a adwaenid gan drigolion yr ardal fel 'Llyn Wil Boots' pan adeiladwyd y ffordd osgoi yn Llanberis, a does dim tystiolaeth i ddweud a lwyddodd y fenter ai peidio cyn marwolaeth annhymig Wil yn 1861. Efallai mai 'Llyn Wil Boots' oedd Gwarchodfa Natur gyntaf Cymru, ond parhau a wnaeth y casglu ac araf fu'r newid yn agwedd naturiaethwyr yn gyffredinol tuag at gadwraeth.

Gwelwyd adeiladu mwy o westai ac mewn mannau poblogaidd gellid llogi tywysydd i arwain ymwelwyr at ryw atyniad neu'i gilydd; daeth mwy o alw hefyd am wasanaeth y tywysydd botanegol. Yn sgil y chwyldro diwydiannol, gyda thwf ym mhoblogaethau'r trefi mawr a'u ffatrïoedd, daeth teithio'r wlad yn haws fel y lledaenai'r rhwydwaith rheilffyrdd. Tyfodd y diwydiant ymwelwyr law yn llaw â'r twf diwydiannol wrth i'r Ymerodraeth Brydeinig ymledu a chryfhau ac roedd damcaniaethau pobl fel Hugh Miller, Darwin ac eraill yn achosi ysgytwad ymysg y naturiaethwyr uniongred.

Parhau gyda'r casglu a'r dosbarthu a wnâi botanegwyr oes Victoria gan roi dim sylw bron i agweddau ffisiolegol y wyddor. Cynyddai casgliadau'r Herbariwm preifat a'r Colegau, drwy bod naturiaethwyr mentrus yn cael rhwydd hynt i archwilio gwledydd newydd yr Ymerodraeth yn ddidrafferth, gyda'r canlyniad bod planhigion estronol yn llifo i'r wlad ag angen eu catalogio. Drwy hyn fe lithrodd Prydain radd yn is na rhai o wledydd eraill Ewrop yn y wyddoniaeth newydd gan adael Yr Almaen ymhell ar y blaen. Ond cyn bod teyrnasiad Victoria wedi dirwyn i ben llwyddodd Prydain i adennill ei lle yn y fotaneg fodern, a chyfrannodd y Cymro John Lloyd Williams yn helaeth i'r datblygiad hwnnw.

NODIADAU: Pennod 1.

1. Evan Stanton Roberts, *Llysieulyfr Meddyginiaethol a briodolir i William Salesbury,* (Lerpwl, 1916). Iwan Rhys Edgar, *Llysieulyfr Salesbury* (Caerdydd, 1997).
2. J. Lloyd Williams, *Atgofion Tri Chwarter Canrif* iv (Llundain, 1945), tt.193-4.
3. J. Lloyd Williams, *Atgofion* ... iii, (Dinbych, 1944), t.157.
4. Brynley F. Roberts, *Edward Lhuyd: the making of a scientist* (Cardiff, 1980), t.16.
5. Llawysgrif Llyfrgell Genedlaethol Cymru 6666.
6. J. Lloyd Williams, *Atgofion* ... ii, (Dinbych, 1942), tt. 106-7.
7. J. Lloyd Williams, *The Western Mail* (November 29, 1937), t. 9.
8. W. Jenkyn Thomas, *The Itinerary of a Botanist* (Bangor, 1908).
9. J. Lloyd Williams, *The Western Mail* (April 8, 1938) t. 11.
10. H. A. Hyde, *Samuel Brewer's Diary* (1931: ad-argraffiad o adroddiad y *Botanical Exchange Club,* 1930).
11. Ibid. t. 10.
12. J. Lloyd Williams, *Atgofion* ... iii, tt. 125-6.
13. Am hanes Gwymoneg gweler Gilbert M. Smith (gol.), *Manual of Phycology* (Waltham, Mass., U.S.A., 1951), tt. 1-11.
14. Planhigyn Alpaidd, bylbaidd, brwynddail, gydag un pericarp (hadlestr) yn syth i fyny, dri chwarter ffordd i ben y coesyn.
15. J. Lloyd Williams, *The Western Mail* (November 29, 1937), t. 9.
16. Am hanes William Williams gweler Dewi Jones, *Tywysyddion Eryri* (Llanrwst, 1993), tt. 41-7.

2
'Museum John'

Ganed J. Lloyd Williams ar 10 Gorffennaf 1854 mewn cyfnod pan oedd awydd cryf ymysg gwerin bobl Cymru am addysg. Roedd blwyddyn ei eni yn arwyddocaol yn hyn o beth gan mai yn y flwyddyn honno hefyd y dechreuwyd cyhoeddi'r *Gwyddoniadur Cymreig,* menter lwyddiannus y cyhoeddwr Thomas Gee ar gyfer diwallu anghenion y bobl. Er na dderbyniodd ei fam un awr o addysg swyddogol erioed, heblaw dysgu darllen yn yr Ysgol Sul, hi a'i dysgodd i ddarllen Cymraeg a chymerai ddiddordeb anarferol ym myd natur, a buan y sylweddolodd fod yr elfen honno yn John ei mab hynaf hefyd. Mabwysiadodd ei enw canol, sef Lloyd, ar gyngor un o'i diwtoriaid yn ystod ei gyfnod yng Ngholeg y Normal, Bangor. Mwynwr oedd ei dad yn un o weithfeydd plwm Nant Bwlch yr Heyrn cyn symud i Chwarel y Llechwedd, Blaenau Ffestiniog, ac ar gyflog chwarelwr y magodd ei saith plentyn, chwe bachgen ac un eneth. Yn 1854 hefyd y torrodd rhyfel y Crimea allan, ac mewn anerchiad yn ystod cinio Cymdeithas Cyn-fyfyrwyr Bangor yn 1935 gwnaeth J. Lloyd Williams sylw crafog nad oedd ganddo ef ddim i'w wneud â'r rhyfelgyrch diffygiol hwnnw, ond ychwanegodd fod ambell i fyfyriwr digllon wedi ystyried rhai o'i weithrediadau yn 'highly Crime-an.'

Fel casglwr hen alawon gwerin ac un o sefydlwyr selocaf Cymdeithas Alawon Gwerin Cymru y cofir J. Lloyd Williams yn bennaf gan y rhelyw o Gymry ac mae'n ddiddorol sylwi mai o ochr ei dad y daeth y diddordeb cerddorol. Byddai'n arferiad gan ei dad, cyn iddo lwyr ymwrthod â'r ddiod, fynd allan ar fin nos Sadwrn i un o dafarndai Llanrwst i ganu alawon gwerin Cymreig i gyfeiliant telyn Ifan y Gorlan.

Yn ystod ei ddyddiau plentyndod yn Llanrwst prif ddiddordeb J. Lloyd Williams oedd gweld a chasglu gwahanol enghreifftiau lleol o fyd natur, gan ennyn cefnogaeth a chymorth dirwgnach ei fam a weithredai fel ceidwad ar yr arddangosfa, a alwai yn 'Museum John'. Cafwyd crynodeb manwl o gynnwys y casgliad gan Elizabeth, chwaer J. Lloyd Williams yn ei chyfrol *Brethyn Cartref.* Cofiai'n dda am y darn coeden a grogai o un o ddistiau'r gegin gefn, ac ar wahanol ganghennau ohoni gosodwyd amrywiaeth o nythod adar, gydag adar wedi eu stwffio gan John ei hun yn eistedd arnynt. Mewn bocs dan gaead gwydr cedwid casgliad o wyau adar ac enw'r aderyn wrth bob math, a chadwai chwilod dŵr mewn poteli. Gwaherddid unrhyw ymyrraeth ar y rhain gan y plant eraill gan geidwad hunanbenodedig yr arddangosfa a gymerai ddiddordeb neilltuol yn y pryfed sidan a gedwid mewn bocs pasbord gyda thyllau mân yn ei gaead. Rhydd Elizabeth Williams ddarlun byw o ecoleg y pryfed sidan:

> Roedd y pryfed o fodfedd i ddwy fodfedd o hyd yn eu llawn dwf, o liw gwyn a chylchau duon ar hyd eu cefn. Dail *mulberry* oedd eu bwyd. Cyn gynted ag y dechreuent wneud gwe yng nghornel y bocs, cymerai Mam ddudalen o bapur gwyn a'i droi yn big yn siap twmffad a phin i'w ddal wrth ei gilydd. Yna, rhoi'r pry sidan yn y bag papur, a'i binio ar y pared mewn lle cynnes, ac yn y man gwelid rhes ohonynt ar bared y gegin.
>
> Ymhen ychydig amser, wrth edrych i'r bag papur, ni welid golwg ar y pryf sidan. Yr unig beth mewn golwg fyddai cocŵn melyn. Y peth nesaf a wnâi Mam oedd dodi'r cocŵn mewn dŵr claear, a deuai croen tenau oddi ar y belen bach. Yna gwelid y sidan melyn hardd wedi dod i'r golwg. Yr orchwyl nesaf oedd ceisio cael gafael ar ben yr edau sidan. Cymerai hyn gryn amser ac amynedd, ond wedi llwyddo, gwaith hawdd fyddai dirwyn yr edau.
>
> Gwnaeth John ffrâm i'r pwrpas – hen ffrâm drych, a gwifren dew o un pen i'r llall, a rîl ar y wifren. Wedi llwyddo i gael pen yr edau nid oedd ond eisiau troi'r rîl yn ysgafn â'r bys. 'Roedd yr edau mor gryf nad wyf yn cofio erioed iddi dorri wrth ei dirwyn. Wedi dirwyn yr edau i'r pen gwelid *chrysalis* brown yn y canol. Rhôi Mam hwn mewn bocs yn yr haul ac yn fuan datblygai'r *chrysalis* yn *Moths*. Wedi iddynt sychu eu hadenydd a hofran o gwmpas byddai Mam wedi gofalu am roi papur gwyn glân, a dodwyent ugeiniau o wyau bach duon, ac yn fuan byddai'r wyau bach duon wedi deor ar ugeiniau o greaduriaid bach yn ymgreinio ar hyd y papur. Dyna genhedlaeth newydd o'r pryfed sidan i gario'r gwaith ymlaen.
>
> Wrth edrych yn ôl rhyfeddwn at y diddordeb a gymerai Mam yn y creaduriaid yma, ynghanol ei holl helbulon â'i thrafferthion. Yn rhyfedd iawn, wedi i John fynd i'r Coleg collodd lawer o'i diddordeb

mewn adar a nythod a chwilod. Aeth ei holl fryd ar Lysieuaeth. Pan fu Mam farw, bu'r pryfed sidan farw hefyd.[1]

Casglai J. Lloyd Williams wahanol fathau o fwsoglau a rhedyn gan eu sychu a'u gludo ar ddalennau o bapur ond gan mai o'r dosbarth gweithiol tlawd y deuai doedd ganddo ddim llyfrau addas i'w gynorthwyo i adnabod ac enwi'r planhigion anghyfarwydd hyn. Er mwyn goresgyn y diffyg dynododd hwynt â rhifau neu enwau a disgrifiadau o'i ddyfais ei hun. Lluniodd feicrosgop drwy ddefnyddio gwydryn gyda phatrwm chwyddedig ar ei ochrau wedi ei lenwi a dŵr, ac wedi rhoi trychfilod ynddo gallai gael golwg chwyddedig ar eu cyrff pan nofient at ochr y gwydr. Dyfeisiodd hefyd chwyddwydr drwy gael tamaid o wydr cyffredin a gollwng diferyn o lud arno. Gwnâi'r tro yn iawn tra parhâi'r glud mewn ffurf amgrwm a hawdd iawn oedd llunio chwyddwydr newydd fel y byddai'r angen.[2]

Ffrwyth chwilfrydedd greddfol bachgen oedd y 'Museum', ac esiampl o ddawn sylwi arbennig iawn, gyda chefnogaeth y fam yn chwarae rhan bwysig yn natblygliad y naturiaethwr ifanc. Flynyddoedd yn ddiweddarach pan oedd J. Lloyd Williams yn brifathro Ysgol Garn Dolbenmaen enynnodd ddiddordeb y plant ym myd natur drwy gyfrwng dull y 'Museum', ac yn hyn roedd yn arloeswr.

Darllenai ei fam yn helaeth ysgrifau'r *Gwyddoniadur,* gan ddyfynnu rhannau helaeth ohono i'w chymdogion. Yn ôl J. Lloyd Williams ni byddai'n gwarafun iddo grwydro'r coed a'r creigiau ond byddai'n dweud y drefn yn o hallt os byddai wedi rhwygo ei ddillad; ar yr un pryd coleddai'r syniad bod elfen gref o'r naturiaethwr yn ei mab anturus, gan fod yr elfen honno yn sicr ynddi hithau hefyd. Yn ystod ymweliad â Threfriw er mwyn sefyll yr arholiad am *Intermediate Certificate* y Sol-ffa, taith mynd a dod o wyth milltir ar hyd y ffordd, manteisiodd J. Lloyd Williams ar y cyfle i anturio a chwilota'r llethrau diarffordd yn null naturiaethwyr y cyfnod. Wedi tynnu ei esgidiau a'i sanau cerddodd drwy'r 'Afon Fawr', sef Conwy, er mwyn 'chwilio am enghreifftiau newydd o'r tai cywrain a adeiladwyd o goed, a cherrig a dail, gan wahanol fathau o *Caddis-worms.'* Ond er ei holl ymdrechion ni welodd yr un, a phan gyrhaeddodd y llanw newidiodd yr afon ei chwrs, gan lifo i fyny Dyffryn Conwy a dod â miloedd o lysywod du i'w chanlyn. Teimlai hwy yn cordeddu o gwmpas ei goesau a'i draed.

Llwyddodd i basio'r arholiad a chyn cychwyn am adref penderfynodd fynd i chwilio am Lyn Geirionnydd a oedd, yn ôl yr hyn a glywodd, dros y mynydd yr ochr arall i Lanrhychwyn lle trigai ei nain. 'Dibwys o beth', meddai, 'oedd y daith i Drefriw o'i chymharu â'r antur a oedd gennyf mewn golwg ynglŷn â hi.' Dilynodd gwrs yr afon er mwyn 'darganfod' y llyn ac yn ystod y daith daeth ar draws amrywiaeth o greaduriaid a phlanhigion. Wedi cyrraedd yno cymhara ei hun i Livingstone yn dod ar draws y Victoria Falls am y tro cyntaf. Dyma enghraifft o ysbryd anturus cyfnod twf yr Ymerodraeth Brydeinig yn creu argraff wefreiddiol ar ddychymyg bachgen ifanc darllengar. Ond erbyn iddo gyrraedd Llyn Geirionnydd yr oedd yr haul ar fachlud a rhaid oedd prysuro am adref cyn cael ei ddal gan y tywyllwch. Penderfynodd geisio torri ar y siwrnai. Meddyliai bod y ffordd yn troelli o amgylch y bryn uwchlaw'r llyn ac os dringai yn syth i'w ben y deuai i ailymuno â hi yr ochr arall, ond nid felly y bu:

> Toc, a hi erbyn hyn yn llwyd-dywyll, deuthum i le yr oedd y tir yn gogwyddo i lawr yn serth, a derw corachaidd a march-redyn rhyngddynt yn rhwystro gweld pa mor bell y cyrhaeddai'r ddisgynfa. Ond yn un man yr oedd craig lefn tua phedair llath o led, yn gogwyddo i lawr, ac un dderwen a rhedyn tew ar ei hymyl isaf. Ymlithrais i lawr y graig gan ofalu bod coes o bobtu'r dderwen. Teimlwn fy nhraed fel pe'n hongian dros wagle. Symudais bennau'r rhedyn i gael gweld i ble i fynd nesaf, a rhoddodd fy nghalon dro yn fy nwyfron. Yr oeddwn ar fin diffwys erchyll clogwyn Chwarel Llanrhychwyn; ac oni bai fy atal gan y dderwen, buaswn yn falurion ar y meini conglog islaw. Yr oeddwn yn bur swat yn ymgripio i fyny'r graig, ond cyrhaeddais ei hymyl uchaf yn ddiogel.[3]

Unwaith y gwyddai ym mhle yr oedd, er bod ei goesau yn crynu yn dilyn ei ddihangfa ffodus, ailymunodd â'r ffordd gan fynd heibio hen eglwys Llanrhychwyn ac i lawr tua Dyffryn Conwy drwy'r coed. Wrth ymlwybro tuag adref daeth i gyfarfod â chymydog o'r enw John Williams, neu 'J. W.' fel yr adwaenid ef, a gofynnodd hwnnw iddo ble roedd o wedi bod. Atebodd y bachgen mai yn Nhrefriw y bu yn ceisio am stifficet Sol-ffa. 'Dyna hi eto', atebodd J. W., 'wastio d'amser hefo'r hen ganu yna. Pam na roi di dy fryd ar fod yn bregethwr?' Atebodd J. Lloyd Williams na wnâi byth bregethwr. 'Y mae Sol-ffa, a chrwydro'r coed ar ôl chwilod ac adar a blodau yn well gin ti na gwaith yr Arglwydd', oedd ateb parod J. W., ac ateb parod y bachgen oedd mai gwaith yr Arglwydd oeddynt hwythau hefyd.

Ond mynnai J. W. mai dan hen oruchwyliaeth y gweledig yr oedd hynny, nid dan oruchwyliaeth newydd yr anweledig. Nid dyma'r unig dro i'r J. Lloyd Williams ifanc gael ei hun mewn dadl gyda'r crefyddwyr uniongred fel y cawn weld, ond mae ymateb ei fam i sylw olaf J. W. yn werth ei ddyfynnu: 'Pam na baset ti'n gofyn i'r hen gybydd sut y basa fo'n leicio i'w arian droi yn anweledig?' Ond bu'r naturiaethwr ifanc yn o agos at gyfarfod ei ddiwedd y diwrnod bythgofiadwy hwnnw, ac yn ôl ei gyfaddefiad ei hun: '... mae fy nghalon yn llawn diolch wrth feddwl mor agos y bûm i beidio â chael byw oes gyda phlant, a stiwdants, a chyfeillion, a gwymon, a blodau – heb sôn am yr holl fiwsig nefol a fwynheais ar hyd hir flynyddoedd.'[4]

Yn ôl J. Lloyd Williams roedd Ysgol Sul lewyrchus yng Nghapel Mawr Llanrwst yn ystod dyddiau ei lencyndod, ac yn ystod yr un cyfnod roedd erthyglau addysgiadol *Y Gwyddoniadur* yn ddylanwad cryf arno, ond cyfaddefa na ddarllenodd ond yr erthyglau ar natur a dim o'r rhai ar ddiwinyddiaeth. Un a fu'n athrawiaethu arno yn yr Ysgol Sul oedd yr 'hynafgwr difrifddwys' William Jones, Bodunig, a oedd, fel J. W. a grybwyllwyd yn gynharach, yn ddiwinydd uniongred heb fawr i'w ddweud wrth ddiddordebau 'daearol'. Credent yn gadarn yn y 'syniadaeth Foesenaidd', fel y'i hadnabyddid, fod y byd a'r cyfan a oedd ynddo wedi eu creu gan Dduw mewn chwe diwrnod yn unol ag adroddiad Genesis. Yn ystod un cyfarfod Ysgol Sul bu trafodaeth ar 'chwe diwrnod y creu'. Awgrymodd J. Lloyd Williams, ar awdurdod yr hyn a ddarllenodd yn *Y Gwyddoniadur,* nad pedair awr ar hugain oedd y 'dyddiau' hynny, ond cyfnodau hwy o amser, ac aeth ymlaen i egluro damcaniaeth Hugh Miller (1802-56), saer maen o Albanwr a'i hyfforddodd ei hun i ddod yn awdurdod cydnabyddedig ar ddaeareg, ac awdur y llyfrau *Testimony of the Rocks* a *Footprints of the Creator.* Syfrdanwyd William Jones a'r dosbarth, a gorchmynnwyd cau'r llyfrau yn y fan a'r lle. Cyhuddwyd J. Lloyd Williams o fod â'i 'draed ar y llithrigfa' ac oni byddai'n gwneud ymdrech i 'ddringo i fyny nes cael ei draed ar y graig' y byddai ar ben arno. Daliodd y naturiaethwr ifanc ei dir gan esbonio mai yn y *Gwyddoniadur* y darllenodd am y ddamcaniaeth a bod y cyhoeddwr, Thomas Gee, yn bregethwr Methodist. Ceryddwyd ef ymhellach am feiddio rhoi 'barn llyfr dynol yn uwch na thystiolaeth yr Ysbryd Glân'. Ateb William Jones oedd bod Thomas Gee yn 'fwy o bolitisian nag o bregethwr' ac nad oedd 'bob amser yn saff mewn pethau ysbrydol'. Ond nid pawb oedd o'r un farn â William

Jones. Croesawyd syniadau Miller gan lawer o grefyddwyr eangfrydig a oedd yn ceisio dygymod â'r datblygiadau diweddaraf mewn daeareg a dod i'w deall. Pan gyrhaeddodd J. Lloyd Williams adref wedi'r cyfarfod Ysgol Sul hwnnw, rhyfeddodd o weld ei fam, drwy gyd-ddigwyddiad rhyfedd, yn adrodd wrth gymdoges hanes Galileo yn cael ei orfodi gan y Chwilys i wadu bod y ddaear yn troi, ac yn sibrwd wrth gyfaill mai troi yr oedd hi er hynny.[5]

Yn ystod y bedwaredd ganrif ar bymtheg bu cryn ysgytwad ym Myd Natur o ganlyniad i gyfnewidiadau a oedd mor chwyldroadol nes sigo'r hen gredoau i'w sylfeini. Heriwyd y syniadaeth Foesenaidd gan ddaearegwyr drwy dystiolaeth y ffosilau a bu cryn drafod ymhlith y diwinyddion i ba raddau y dylent ailddehongli Genesis i ateb y syniadau newydd. Gwelwyd esgor ar 'Ddamcaniaeth Unffurfedd' William Hutton a Charles Lyell, sef bod y ddaear yn ei chyflwr presennol yn ganlyniad newidiadau a gyflawnwyd dros gyfnod o filiynau o flynyddoedd. Ddeng mlynedd cyn geni J. Lloyd Williams cyhoeddwyd y *Vestiges of the Natural History of Creation,* epig ar esblygiad gan awdur dienw a fu'n gyfrwng i ledaenu damcaniaeth y Ffrancwr Lamarck, *Philosophie Zoologique* (1809), trwy Brydain. Prif bwyntiau dadleuon Lamarck oedd bod swyddogaeth organau cyrff yn addasu i ateb newidiadau yn yr amgylchfyd; bod organau yn graddol newid i gyfateb â'r defnydd neu'r prinder defnydd ohonynt; bod yr addasiadau hyn yn trosglwyddo o genhedlaeth i genhedlaeth drwy etifeddiad. Daeth yn hysbys wedyn mai awdur y *Vestiges* oedd Albanwr o'r enw Robert Chambers (1802-1871), argraffydd a llyfrwerthwr a oedd o ran diddordeb personol wedi ei addysgu ei hun mewn daeareg ac esblygiad. Roedd ganddo nam corfforol a etifeddwyd gan rai o'i blant sef chwe bys ar bob llaw a throed a chan fod gan Darwin ddiddordeb mewn etifeddiad anfonodd un o ferched Chambers amlinelliad o'i llaw iddo. Robert Chambers oedd cyd-sylfaenydd *Chambers' Encyclopaedia* gyda'i frawd, ac yn gyd-awdur y gyfrol a droswyd i'r Gymraeg gan Eben Fardd ac a ddaeth yn bur adnabyddus fel *Addysg Chambers i'r Bobl*.

Derbyniodd y *Vestiges* feirniadaeth lem gan wyddonwyr y sefydliad uniongred ond nid oes tystiolaeth bod y gyfrol wedi creu'r un cyffro yng Nghymru ag a wnaeth yn Lloegr; byddai hynny wrth gwrs yn gwbl groes i ddiwinyddiaeth y cyfnod. Er nad oedd syniadaeth yr *Origin of Species* fawr yn wahanol i'r un a gyhoeddwyd yn y *Vestiges* beirniadaeth negyddol a gafwyd gan Charles Darwin, ond croesawyd y gyfrol gan Alfred Russel

Wallace (1823-1913), y naturiaethwr a ddaeth i'r un casgliad â Darwin, ond heb yn wybod i'w gilydd. Achosodd papur Wallace gryn sioc i Darwin gan sbarduno'r bennod fwyaf cynhyrfus yn hanes datblygiadau'r ddadl fawr ar esblygiad.[6]

Roedd J. Lloyd Williams yn bum mlwydd oed pan gyhoeddwyd yr *Origin of Species* am y tro cyntaf ond yn ôl R. Tudur Jones ni wnaeth cyfrol Charles Darwin fawr o argraff ar Annibynwyr Cymru.[7] Ni chafwyd ychwaith unrhyw sylw ar y mater yn y cylchgrawn poblogaidd *Y Traethodydd* hyd at 1863 pan soniwyd am Hugh Miller a'i ymosodiad ar y *Vestiges* yn ei *Footprints of the Creator.* Cyhuddwyd *Y Traethodydd* o ddifaterwch ynglŷn â damcaniaeth Darwin ac ni bu trafodaeth ar y pwnc nes i Ioan Pedr gyhoeddi ei erthygl ar Ddarwiniaeth yn 1872. Roedd J. Lloyd Williams yn ei flwyddyn olaf fel disgybl-athro ar y pryd. Mae'n amlwg bod Hugh Miller yn dipyn o arwr gan grefyddwyr Cymru am fod ei lyfrau yn cysoni diwinyddiaeth â'r datblygiadau diweddaraf mewn daeareg. Fel sawl Cymro arall daeth J. Lloyd Williams i wybod amdano drwy'r erthygl fywgraffyddol a ymddangosodd yn y *Gwyddoniadur:* darllenodd ei weithiau a daeth i'w edmygu.

Dywed J. Lloyd Williams iddo, o ddarllen damcaniaeth Darwin, gael esiampl ragorol o'r hyn a eilw'r biolegwyr yn *vestigial structure*[8] drwy gymhariaeth gyda'r dôn 'Cyfamod' (Yr Hen Ddarbi) i eiriau'r emyn 'O Fryniau Caersalem'. Dywed fod yr alaw wreiddiol ar amseriad 3-4 ond bod cantorion Cymraeg wedi ystwytho'r rhythm, i fod yn debycach i rhythm llafar, mae'n debyg. Eglurodd fel y newidiwyd rhythm ac acen y geiriau Cymraeg, heb fod neb yn sylweddoli, o'r amseriad 3-4 i'r amseriad 5-4 ond yn y llinell nesaf i'r olaf cadwyd at yr amseriad 3-4 gwreiddiol. Gellir dadlau yma nad yw'r gymhariaeth â'r *vestigial structure* yn gweithio yn ei holl fanylder o dderbyn y diffiniad bywydegol ond mae'n debyg na fwriadai J. Lloyd Williams inni feddwl fwy na bod yma *vestige* yn yr ystyr 'ôl' neu 'olion'.[9]

Chwaraeodd llyfrgelloedd y capeli ran bwysig yn addysgiaeth gwerin bobl Cymru yn ystod oes Victoria. Bu'r gwasanaeth hwn o gymorth amhrisiadwy i J. Lloyd Williams er iddo gyfaddef nad oedd yn cofio a oedd llyfrau Cymraeg yn Llyfrgell y Capel Mawr ai peidio, a hyd yn oed os oedd rhai yno, prin y credai y cawsai flas ar eu darllen. Gyda'i ysgrifau diddorol ac addysgiadol ar ddaearyddiaeth, daeareg a botaneg, *Y Gwyddoniadur* yn ddiau oedd ffefryn J. Lloyd Williams, a châi flas hefyd ar *Ddrych y Prif Oesoedd* a chyfrolau tebyg, ond roedd yn llym iawn ei feirniadaeth o'r mwyafrif o'r llyfrau Cymraeg a oedd ar gael bryd hynny, yn enwedig llyfrau ar deithio ac antur:

> yr oedd yr iaith mor ddiflas ac anystwyth nes credu ohonof mai iaith wael oedd y Gymraeg o'i chymharu â'r Saesneg. A pharhaodd fy rhagfarn drwy'r blynyddoedd hyd nes caffael ohonof afael ar Gymraeg O. M. a Syr John Morris-Jones, a'r Cymreigwyr a'u dilynodd.[10]

Yr oedd y wybodaeth y chwiliai J. Lloyd Williams amdani ar y pryd i'w chael yn y misolion Saesneg a ddeuai i'r llyfrgell ac mae'n enwi'r *Good Words* a'r *Leisure Hour* fel ei ffefrynnau. Ar un adeg darllenodd gyfres ragorol yn y *Good Words* a ail-gyhoeddwyd yn ddiweddarach fel cyfrol o'r enw *A Year at the Shore*. Y gyfres hon a'i cyflwynodd am y tro cyntaf i wyddor môr, diddordeb a ddatblygodd maes o law yn astudiaeth arloesol mewn gwymoneg.

Pan agorwyd y rheilffordd o Gyffordd Llandudno i Lanrwst yn 1863 aeth J. Lloyd Williams gyda'i deulu ar un o'r *excursions* diwrnod i Fangor a manteisiodd ar y cyfle i gael gweld rhai o'r rhyfeddodau y darllenodd amdanynt yn flaenorol. Dyma'r adeg pan gafodd ei gasgliad cyntaf o wymon o'r traethellau lleidiog ar lannau'r Fenai:

> Gan ei bod yn drai, llwyddais i lenwi fy mhocedi â gwymon o wahanol fathau, i'w sychu ar ôl cyrraedd gartref. Ni freuddwydiwn y pryd hwnnw y byddwn, ymhen blynyddoedd, yn ddigon ffodus i allu egluro rhai o ddirgelion bywyd yn y gwymon hynny, a darllen papurau arnynt o flaen *y Royal Society* a'r *British Association.*[11]

Yn ystod blynyddoedd ei blentyndod yn ysgol y 'Britis', Llanrwst, cyfaddefa nad oedd y gyfundrefn addysg bryd hynny yn deffro diddordeb disgyblion yn eu milltir sgwâr, dim ond yn y byd mawr, a bu'n llym ei feirniadaeth ar hynny. Cafodd wers ddigon annisgwyl un tro ar ôl oriau ysgol gan nafi a weithiai ar y rheilffordd a oedd yn cael ei hymestyn o Lanrwst i Fetws-y-coed. Holodd y nafi ef beth a ddysgwyd iddo yn yr ysgol y diwrnod hwnnw, ac atebodd yntau, *Geography.* Dechreuodd y nafi ei holi am ddaearyddiaeth ei sir ei hun a methodd yntau'n gywilyddus, yna cyn gwahanu rhoddodd y nafi ei law yn garedig ar ei ysgwydd gan ddweud: 'My boy, go and tell your teachers that geography, like charity, begins at home'. Nid anghofiodd y wers fach honno, ond ni fu fawr o newid ar y drefn addysg. Flynyddoedd yn ddiweddarach pan oedd ar ymweliad â rhai o'r Ysgolion Canol i arholi mewn botaneg poenwyd ef gan y ffaith fod y mwyafrif o'r disgyblion a gwybodaeth fanwl ganddynt am blanhigion y gwledydd tramor ond yn hollol anwybodus o'r rhai a dyfai ar dir eu milltir sgwâr.

Eithr er yr holl sylw a roddid bryd hynny i naturiaetheg y byd ar gorn esgeuluso gwybodaeth leol o'r pwnc nid ataliwyd dawn reddfol J. Lloyd Williams i sylwi ar blanhigion anarferol. Ymhyfrydai o ddarganfod planhigyn a oedd yn newydd iddo, a cheir esiampl o hyn pan ddaeth ar draws yr Anfri *(Adoxa moschatellina)* am y tro cyntaf yn y Coed Mawr, ger Llanrwst, yn ystod y flwyddyn 1871. Bron na ddywedwn na fuasai'r mwyafrif o'r cerddwyr sy'n hoff o grwydro coedwigoedd yn sylwi ar yr Anfri gan mor fychan a disylw ydyw, ac ar ben hynny mae'n flodyn sy'n cuddliwio drwy ymdoddi i'r tyfiant sydd o'i amgylch. Ceir manylion gwyddonol amdano ym mhob *Flora,* ond credaf nad oes yr un ohonynt yn rhoi darlun mor fyw o'r planhigyn ag a wna J. Lloyd Williams mewn geiriau sy'n adlewyrchu'r teimlad a oedd ganddo:

> Er fy mawr lawenydd, dyma ddod ar draws llysieuyn a oedd yn newydd imi – peth bychan eiddil a digon di-sylw. Ond, ar ei ben yr oedd y clwstwr bach delaf o flodau a welais erioed. Nid oedd yno dlysni lliw, ond yr oedd gosodiad y mân flodau yn ôl patrwm swynol o reolaidd. Ar ben coesig fain yr oedd pum blodeuyn yn glos wrth ei gilydd yn ffurfio *cube* – pedair ochr y *cube* yn bedwar blodeuyn, gefn-gefn â'i gilydd, a'r pumed blodeuyn ar y top â'i olwg yn wastad tua'r nefoedd. Ond hyn oedd yn rhyfedd, yr oedd rhannau'r blodau yn ochrau'r *cube* yn bedwarau, ond rhannau yr uchaf yn bumau! ... Ni chlywais enw gwerinol Cymraeg arno, ond yn y llyfrau gelwir ef "yr Anfri." Cyfieithiad ydyw hwn o'r enw Groeg *Adoxa,* a ddywaid mai un di-sylw ydyw'r llysieuyn, heb fri, a heb na phryd na thegwch iddo; a minnau, er gwaethaf sarhad yr enw Groeg, yn dotio at ei geinder cymesur.[12]

Crybwyllwyd yn y bennod gyntaf daith J. Lloyd Williams i ben Carnedd Llewelyn yn 1872, ac yntau'n ddeunaw oed, taith y bu arni o 8:30 y bore hyd at 7:30 yr hwyr. Ond nid hwn oedd y mynydd 3000 troedfedd o uchder cyntaf yn Eryri iddo ei ddringo, a dringo yw'r gair cyn belled ag y mae Tryfan yn y cwestiwn. Go brin bellach y buasai bechgyn deuddeg oed yn cael eu hanfon i gynrychioli'r teulu mewn cynhebrwng perthynas ond dyna oedd dyletswydd J. Lloyd Williams a'i gefnder 'Wil Sarnau' ym Methesda yn 1865. Cerddodd y ddau yr ugain milltir o Lanrwst i Fethesda, a'r ugain milltir yn ôl, drwy ymuno â ffordd Caergybi (A5 bellach) wrth y Tŷ Hyll wedi dringo dros y mynydd drwy Nant Bwlch yr Heyrn, a'i dilyn heibio Capel Curig am Nant y Benglog. Yma y cafwyd yr olygfa gyntaf o'r Tryfan, y mynydd perffaith; pyramid o graig solet a'r unig fynydd yn Eryri sy'n gorfodi'r dringwr i ddefnyddio ei ddwylaw, yn ogystal â'i goesau, er mwyn cyrraedd ei gopa.

Wrth gerdded y ffordd heibio'r Tryfan tynnwyd sylw'r ddau gefnder gan y ddau faen unionsyth ar gopa'r mynydd ac aeth yn ddadl boeth rhyngddynt 'prun ai monolithau oeddynt fel yr haerai J. Lloyd Williams, ynteu delwau fel y mynnai Wil Sarnau. Ar y ffordd adref penderfynwyd dringo Tryfan er mwyn setlo'r ddadl. Aeth y ddau i fyny'r mynydd drwy ddilyn y ffordd hawsaf sef y llethr gorllewinol heibio Llyn Bochlwyd ac wedi cyrraedd y copa a chanfod mai meini anferth oedd yno wedi'r cyfan dringodd J. Lloyd Williams i ben un ohonynt a llamu drosodd i'r llall. Mae angen nerfau cadarn i gyflawni'r gamp gan fod y ddau faen yn union wrth erchwyn yr ochr serth ddwyreiniol sy'n disgyn i Gwm Tryfan a phan ddringodd J. Lloyd Williams y mynydd flynyddoedd yn ddiweddarach methodd â chyflawni'r llam; yr oedd gwroldeb y bachgen deuddeg oed wedi mynd.[13] Cyflawnwyd y gamp hon gan sawl dringwr o dro i dro dros y blynyddoedd a cheir y cofnod cynharaf amdani yng nghyfrolau'r teithiwr cynnar William Bingley a ymwelodd â Chymru yn 1798 ac 1801. Y Parchedig Peter Bailey Williams, person plwyfi Llanrug a Llanberis a mab Peter Williams yr esboniwr, oedd cydymaith Bingley yn ystod ei deithiau mynyddig ac ef a ddywedodd wrth yr ymwelydd am orchest merch o blwyf cyfagos a arferai lamu o'r naill faen i'r llall yn weddol reolaidd. Cyfeirir at y ddau faen fel 'Adda ac Efa' neu 'Siôn a Siân'gan fynyddwyr cyfoes a does wybod ym mha oes y bu'r 'bedyddio' hwn ond ceir cyfeiriad at *Adam and Eve* gan J. M. Archer Thompson yn ei lyfr *Climbing in the Ogwen District* a gyhoeddwyd yn 1910.

Yn ystod ei daith i ben Carnedd Llewelyn yn 1872 mae J. Lloyd Williams yn sôn am fwsogl cyffredin y copäon sef 'Brigwyn', enw a gawsai gan hen fugail *(Racomitrium lanuginosum),* a welodd yno, gan roi disgrifiad byr o ecoleg y planhigyn:

Wyneb dwyreiniol Tryfan o Fraich y Ddeugwm
Llun: Yr awdur

> ... ar ddiwrnod sych a phoeth ... ymddengys y mwswg yn walltwyn a hen; ond gwyddwn y buasai'r gawod gyntaf yn troi ei liw yn felyn-wyrdd iraidd ac ieuanc. Dyma'r eglurhad: Y mae blew hir, llwydwyn, i'r dail. I'w hamddiffyn ei hun rhag gormod sychter, fe'i rholia pob deilen ei hun yn dynn, a phair hyn i'r blew gwynion fod yn amlwg; ond cyn gynted ag y disgyn cawod o law, ymleda'r dail nes bod yr olewyrddliw yn amlycach na'r gwyn. Dyma'r ddarpariaeth a alluoga'r planhigyn i lwyddo ar bennau'r mynyddoedd yng nghaledi'r gaeaf a haf.[14]

Wrth ddisgrifio'r daith i ben Tryfan yn ei hunangofiant mae'n cofnodi gweld ei blanhigyn hadlysieuol alpaidd cyntaf, sef yr Heboglys Hardd *(Hieracium holosericeum),* a welodd ar gopa eithaf y mynydd lle mae'n parhau i dyfu. Mae'n amheus bod bachgen deuddeg oed a oedd, yn ôl ei dystiolaeth ei hun, heb un llyfr safonol i'w gynorthwyo i adnabod planhigion, yn gallu rhoi enw ar flodyn o deulu mor anodd â'r Heboglys. Erbyn hyn cydnebydd gwyddonwyr tua 400 o ficrorywogaethau o deulu'r *Hieracium* ym Mhrydain ac achosodd un arall ohonynt, Heboglys Eryri

(Hieracium snowdoniense), gryn gynnwrf yn y byd botaneg yn ddiweddar yn dilyn ei ail-ddarganfod yng Nghwm Idwal. Haws credu bod J. Lloyd Williams wedi codi un planhigyn a mynd ag ef adref er mwyn cael ei enw gan arbenigwr ymhellach ymlaen ond mae'r ffaith bod yr heboglys bychan, nad yw'n edrych ryw lawer yn wahanol i rai eraill o'r un tylwyth, wedi tynnu ei sylw o gwbl yn dweud llawer am allu sylwi anghyffredin y bachgen.

Carodd J. Lloyd Williams fynyddoedd Eryri drwy gydol ei oes, nid yn unig am eu bod yn gynefin i'r planhigion prin yr oedd â chymaint o ddiddordeb ynddynt, ond oherwydd y pleser a gâi o'u cerdded ac fe ddaw'r cariad hwn i'r amlwg sawl tro yn ei ysgrifau. Yr oedd y 1860au yn gyfnod pwysig yn hanes datblygiad mynydda fel sbort. Yn ystod y degawd hwn dringwyd nifer o fynyddoedd uchaf yr Alpau Ewropeaidd am y tro cyntaf, a'r flwyddyn cyn taith J. Lloyd Williams i ben Tryfan y digwyddodd y drychineb fawr ar y Matterhorn pan laddwyd tri dringwr o Sais dan arweiniad Edward Whymper, ynghyd ag un tywysydd lleol, wrth ddychwelyd o gopa'r mynydd wedi iddynt ei ddringo am y tro cyntaf erioed.

Bu 1867 yn flwyddyn dyngedfennol yn hanes J. Lloyd Williams oherwydd dyna'r adeg iddo ddechrau prentisiad o bum mlynedd yn ysgol y 'Britis', Llanrwst, yn gyntaf fel monitor ac wedyn fel disgybl-athro, er iddo goleddu'r syniad o ddilyn ei dad i'r chwarel er mwyn cael cyfle i ddilyn ôl traed ei arwr Hugh Miller:

> Yr hyn a godasai awydd ynof am fynd yn chwarelwr oedd erthygl y *Gwyddoniadur* ar "Ddaeareg," ac yn enwedig gwaith Hugh Miller, y saer maen Ysgotaidd. Prun a gawswn i gyfle i ddaearegu ai peidio sydd gwestiwn amheus; ond, yn fy niniweidrwydd, ni feddyliwn am y baeddu a'r chwys yng nghrombil yr hen greigiau, nac ychwaith am anghysur y Barics Mawr ... yr oedd y darluniau a ymrithiai i'm meddwl yn llawn rhamant ac antur, ac o addewidion cyfoethog am ddarganfyddiadau tebyg i rai Hugh Miller yn yr *Old Red Sandstone.*[15]

Dyma eglurhad J. Lloyd Williams ar y system disgybl-athro:

> Rhwymid bachgen neu eneth am bum mlynedd yn brentis o athro neu athrawes. O dan arolygiaeth yr ysgolfeistr caffai bum mlynedd o brofiad mewn cyfrannu addysg i blant yr ysgol. Ar yr un pryd rhoddid addysg iddo a'i alluogi i basio arholiadau blynyddol ei gwrs,

ac yna i fynd drwy arholiad a roddai i'r prentis ddwy flynedd o addysg uwch mewn Coleg Normal. Mewn rhai ardaloedd poblog yr oedd *pupil teachers' centres* a roddai gymorth effeithiol i'r athrawon ifainc i basio'r arholiadau, er bod yr addysg (?) a roddid, gan mwyaf, yn fwy o gramio'r cof nag o ddatblygu galluoedd y meddwl. Mewn rhai o'r ysgolion gorau caniateid rhan o amser yr ysgol i efrydu; ond ni chefais i, mwy na mwyafrif y *P. T.'s,* yr un hanner awr i'r diben hwn ... Ynglŷn â'r pum mlynedd o ymarfer mewn addysgu, anaml y trafferthai'r ysgolfeistr i roddi na chyfarwyddyd na chyngor i'w gynorthwywyr ieuainc – yn unig ceryddai'r prentisiaid yn llym os digwyddai'r dosbarthiadau basio llai na 95 y cant yn yr arholiad blynyddol. Yna ar hyd blwyddyn arall gadewid hwy i ddefnyddio'r hen gynlluniau a oedd ar arfer pan gawsant hwy eu tipyn addysg. Eithriad oedd gweld mewn ysgol un math o lyfr ar *school management;* a chymaint ydoedd ceidwadaeth mwyafrif o'r ysgolfeistri fel na feddylient am newid eu cynlluniau, na defnyddio'r delfrydau a'r dulliau newydd a roddwyd iddynt yn y colegau.[16]

Bu J. Lloyd Williams yn llym iawn ei feirniadaeth ar system addysg y cyfnod, a cheir aml sylw ganddo ar y dull 'dysgu ar gof ac ail-adrodd fel parrot' chwedl yntau.

Ceir sawl cyfeiriad ynglŷn â'r cyfnod 'P. T.' yn nodlyfrau J. Lloyd Williams ac mae'n ddiddorol sylwi fel roedd yn ei ddisgyblu ei hun drwy lunio rhestr o addunedau a rheolau gan resymu arnynt yn fanwl. Mae ei nodlyfrau o'r cyfnod hwn yn llawn disgrifiadau o'i deithiau natur cynnar gyda manylion am y gwahanol anifeiliaid, adar a phlanhigion a welodd. Mae rhestr o'r addunedau a wnaeth yn un ohonynt, gan rannu ei ddiwrnodau i gynnwys rhwng dwy-ar-bymtheg i un-ar-hugain o oriau, wedi eu dosrannu o 3 (neu 5) tan 7, o 7 tan 9, o 9 tan 12, o 12 tan 2, o 2 tan 4, o 4 tan 7, o 7 tan 10, o 10 tan 12 gyda gorchwyl arbennig i bob rhan. Dyma restr o'i 'School Studies': 'Geography, Grammar, Arithmetic, Algebra, Euclid, Latin Grammar, French, Music, Drawing, History.'

Erbyn ei gyfnod disgybl-athro mae'n amlwg ei fod wedi penderfynu mai Naturiaethwr oedd am fod a lluniodd amlinelliad o'i benderfyniad a'i amcanion yn un o'i nodlyfrau:

Now I am (if God permits) to be a Naturalist. What can I be better? And, to me what more happiness can I desire than to study God's work in Nature. But I shall not be sattisfied [sic] to be a cockney naturalist writing in a garret; examining doubtful bones and skeletons in musty cabinets; stuffed motionless birds; spiritless lions and tigers behind iron bars … all that is very well … but I must be free to roam amongst Nature's vast preserves.

1. To rise every morning at 3 o'clock. (no later than 5).
2. To employ it all till breakfast to study Natural History.
3. Never to retire for the night unless I have:

   (a) Written a memorandum for the day in my diary, stating where I had been in connection with Nat. Hist., and what animals I saw and all things which I had noted during that day.

   (b) Written an account of the structure; habits or circumstance connected with some animal.

   (c) Written either a Remin, or "What I o to do" [sic] or some composition or quotation.
4. To employ every moment of time (spare) to study, or to write or exercise or some other profitable employment related with Nat Hist.[17]

Yn ei *Young Naturalist's Diary* am 1871 mae'n nodi rhagor o'i benderfyniadau ynglŷn â'i gynlluniau a chawn gip ar yr athroniaeth a fu'n adeiladwaith i ffurfio cymeriad cryf a phenderfynol:

> First: Plan wisely / Second: Determine firmly / And then; whatever be the difficulties perform it unflinchingly. Perfection is made of trifles, years are made up of seconds. The miller collects his pounds by collecting the farthings.

Dyma esiampl berffaith o'r hunan-ddisgyblaeth Victoriaidd a oedd mor nodweddiadol o gymeriad sawl unigolyn o'r oes honno, fel codi'n fore, gweithio oriau maith a hunan-gyni. Ceir tystiolaeth o hyn yn ystod cyfnod addysg J. Lloyd Williams tra'r oedd yn esgeuluso ei iechyd drwy or-astudio ar gyfer arholiadau, a'i fam yn ei orfodi i fynd allan o'r tŷ am dro am ysbaid o awyr iach.

Manteisiai ar bob cyfle i astudio ei hoff bwnc. Hyd yn oed pan oedd yn Y Rhyl ar adeg un o'r arholiadau disgybl-athro aeth, cyn gynted ag oedd yr arholiad drosodd, i gyfeiriad y Foryd. Croesodd Afon Clwyd mewn cwch, gan nad oedd bont yno bryd hynny, a cherddodd ar hyd glan y môr i Abergele ac wedyn ymlaen i Fae Colwyn. Prif bwrpas y daith hon oedd cael golwg ar yr amrywiaeth planhigion a dyfai ar y galchfaen. Mae'r daith, ynghŷd â'i ymweliad cynharach â'r traethellau lleidiog ym Mangor, yn dystiolaeth bod ei ddiddordeb mewn archwilio gwahanol fathau o gynefinoedd er mwyn gweld y llystyfiant a oedd yn berthnasol i'r cynefinoedd hynny wedi datblygu ynddo mewn oedran cynnar.

NODIADAU: Pennod 2.

1. Elizabeth Williams, *Brethyn Cartref* (Aberystwyth, 1951), tt. 26-7.
2. J. Lloyd Williams, *Atgofion Tri Chwarter Canrif* i (Dinbych, 1941), t.100.
3. Ibid., tt. 42-3.
4. Ibid.
5. Ibid., tt. 70-1.
6. Am gefndir yr hanes gweler: R. Elwyn Hughes, *Darwin* (Dinbych, 1981), tt.15-24.
7. R. Tudur Jones, *Hanes Annibynwyr Cymru* (Abertawe, 1966), tt. 246-7.
8. Ffurfiadau gweddilliol, sef ffurfiant o weddillion organ a fu unwaith yn cyflawni gweithrediad bywydol ond a aeth yn ddiangen oherwydd diffyg ei defnyddio.
9. J. Lloyd Williams, *Atgofion Tri Chwarter Canrif* iii (Dinbych, 1944), tt. 29-30.
10. J. Lloyd Williams, *Atgofion* ... i, t. 85.
11. J. Lloyd Williams, *Atgofion* ... ii (Dinbych, 1942), t. 50.
12. Ibid., tt., 29-30.
13. J. Lloyd Williams, *Atgofion* ... iii tt. 93-5.
14. J. Lloyd Williams, *Atgofion* ... ii t. 107.
15. J. Lloyd Williams, *Atgofion* ... i t. 186.
16. J. Lloyd Williams, *Atgofion* ... ii tt. 129-30.
17. Ll.G.C. J. Lloyd Williams, Eitem 105.

3
Newid Cynefin

Yn dilyn ei lwyddiant yn pasio arholiad y *Queen's Scholarship* yn 1872 derbyniodd J. Lloyd Williams ddwy flynedd o hyfforddiant yng Ngholeg y Normal, Bangor, yn ystod 1873 ac 1874 i'w baratoi ar gyfer gyrfa fel ysgolfeistr. Yn ystod y cyfnod hwn gwnaeth lawer o ffrindiau newydd o blith ei gyd-efrydwyr, ambell un fel yntau a oedd i ddisgleirio ym myd botaneg. Roedd hefyd yn gyfnod pan ddatblygodd ei ddealltwriaeth yn ei hoff bwnc gan godi cwestiynau a oedd i ehangu'r maes iddo a gosod rhan o'r sylfaen ar gyfer y gwaith arloesol a gyflawnodd ymhen blynyddoedd wedyn.

Mae'n debyg mai'r gŵr a ddylanwadodd fwyaf arno yn y pwnc hwn oedd y Dirprwy-Brifathro John Price (1830-1906) er nad oedd botaneg yn un o'i bynciau swyddogol. Yn fab i'r Parchedig Edward Price (1797-1887) ganed John Price yng Nghroesoswallt ac addysgwyd ef mewn ysgolion yn Birmingham a Sir Drefaldwyn cyn mynd i Goleg Y Bala yn 1848 am bedair blynedd dan Lewis Edwards. Yn ystod 1852-3 bu yng Ngholeg Hyfforddi Borough Road yn Llundain lle gwnaeth enw iddo ei hun fel myfyriwr hynod o lwyddiannus. Bu'n ysgolfeistr am ddwy flynedd yn Llanfyllin ac aeth oddi yno i agor yr Ysgol Frytanaidd yn Y Bala. Daeth ei alluoedd eithriadol i sylw Syr Hugh Owen a derbyniodd wahoddiad i gynorthwyo'r Parchedig John Phillips yn y coleg hyfforddi newydd ym Mangor gan ddechrau ar ei swydd newydd pan agorwyd y Normal yn 1858. Apwyntiwyd Phillips yn Brifathro yn 1863 a dyrchafwyd Price yn ddirprwy iddo ac wedyn i'w olynydd sef y Parchedig Daniel Rowlands o 1867 hyd at 1891 pryd y dyrchafwyd Price yn Brifathro. Rowlands oedd y Prifathro yn ystod tymhorau J. Lloyd Williams yn y Normal. Mabwysiadu botaneg fel hobi a wnaeth Price a meddai ar ddawn unigryw o ennyn diddordeb eraill yn y pwnc drwy ei frwdfrydedd ei hun. Tystia J. Lloyd Williams i hyn:

> Gan mai newydd gymryd at yr wyddor yr oedd, prin ydoedd ei wybodaeth ohoni … Ysgwn i a oedd newydd-deb y pwnc yn peri

A. H. Trow (1863 – 1939)
Llun: Amgueddfeydd ac Orielau Cenedlaethol Cymru

R. W. Phillips (1845 – 1926)
Llun: Amgueddfeydd ac Orielau Cenedlaethol Cymru

> bod ei ddiddordeb ynddo yn fwy nag ydoedd yn y pynciau yr oedd yn hen gyfarwydd â hwy? … Yn y cyfnod hwnnw nid oedd yr wyddor chwarter mor ddiddorol ag ydyw heddiw. Yn amser Price dyna ydoedd – dysgu rhes o dermau gwyddonol, a'u defnyddio i ddisgrifio ffurfiau a neilltuolion allanol gwahanol blanhigion; a malu blodau a chyfrif eu rhannau, a sylwi ar eu gosodiad a'u cysylltiad â'i gilydd; a defnyddio'r ychydig wybodaeth honno i benderfynu teuluoedd y planhigion. Ni cheid gair am eu bywyd rhyfeddol; am y synhwyrau sydd ganddynt i weled a theimlo; nac am eu gallu cyfrin i'w cyfaddasu eu hunain i'w hamgylchedd amrywiol.[1]

Er cyn lleied ei addysg swyddogol mewn botaneg llwyddodd Price, drwy'r brwdfrydedd a ddangosai, i drosglwyddo gwybodaeth yn fwy effeithiol i eraill na hyd yn oed y proffeswyr athrofaol. Ar un adeg roedd tri Chymro yn benaethiaid adrannau Botaneg mewn tri o golegau Prifysgol Cymru; A. H. Trow yng Nghaerdydd, R. W. Phillips ym Mangor, a J. Lloyd Williams yn Aberystwyth, a'r cyfan yn gyn-ddisgyblion i Price. Dylanwadodd hefyd ar D. A. Jones, ysgolfeistr Harlech, a ddaeth yn arbenigwr ar fwsogl drwy Brydain a'r cyfandir ac a anrhydeddwyd yn ddiweddarach â gradd M.Sc. am ei waith ymchwil i'r pwnc.

Un o draddodiadau Coleg y Normal oedd trefnu taith gerdded i gopa'r Wyddfa i weld yr haul yn codi. Ar ddiwedd arholiadau Mai un flwyddyn cychwynnodd mintai o ddosbarth J. Lloyd Williams o Fangor drwy Bentir a Chwm-y-glo i Lanberis, cysgu noson yno mewn gwesty oherwydd y niwl, a chychwyn ben bore drannoeth am y copa dan arweiniad Hugh Jones o Lanberis, cyn-fyfyriwr yn y Normal. Hwn oedd y tro cyntaf i J. Lloyd Williams ddringo'r Wyddfa ac mae'n cofnodi gweld sypynnau o'r Rhedyn Persli *(Cryptogramma crispa)* ar y ffordd wrth ddilyn llwybr Llanberis tua'r copa. Yr oedd chwant bwyd go gryf ar y fintai erbyn iddynt gyrraedd yno a dyna lle buont yn bwyta, a mwynhau'r golygfeydd, ond gan na allai J. Lloyd Williams fforddio talu am bryd oherwydd iddo wario ei unig swllt er mwyn aros noson yn y gwesty bu'n rhaid iddo aros ar ei gythlwng. Dychwelodd y fintai i lawr y mynydd i gyfeiriad Pen y Pass, neu 'Gorphwysfa' fel yr oedd bryd hynny, a chychwynnodd J. Lloyd Williams gerdded am adref heibio tafarn Penygwryd a thrwy Gapel Curig gan droi am Nant Bwlch yr Heyrn ger y Tŷ Hyll. Ar ddiwedd ei hirdaith cafodd flas arbennig o dda ar y pryd bwyd a gafodd yn nhŷ ei fodryb Margiad yn y Sarnau.

Rhaid cofio nad oedd gwesty modern ar gopa'r Wyddfa yn ystod taith J. Lloyd Williams yn 1873 neu 1874, na sôn am y 'lein bach' tan 1896, ond roedd cabanau o goed yno ers 1837 neu 1838[2] lle darperid lluniaeth ar gyfer ymwelwyr. Nid oedd fawr o sglein ar yr arlwyo fel y gellid disgwyl dan yr amgylchiadau ond roedd mynd mawr ar fara ac ymenyn a choffi, a chig moch ac wyau. Gan mai dan reolaeth gwestai Llanberis fel y Dolbadarn a'r Royal Victoria yr oedd y cabanau roedd cwrw a gwirodydd ar werth yno hefyd.

Wrth fwrw trem yn ôl ar ddigwyddiadau'r daith i'r Wyddfa ni cheir sôn gan J. Lloyd Williams am gabanau'r copa nac ychwaith am y tywysyddion lleol a'u merlod a wasanaethai'r ymwelwyr ar hyd y llwybrau yr adeg honno. O 1869 ymlaen un o'r pethau cyntaf a welai'r ymwelwyr wrth ddod oddi ar y trên yng Ngorsaf Llanberis fyddai rhes o ferlod mynydd yn disgwyl am gwsmeriaid i'w cario i fyny'r Wyddfa, ond mae'n debyg nad oedd J. Lloyd Williams yn ystyried hyn o bwys mwy nag y gwna'r miloedd heddiw sy'n cerdded i'r copa o weld y trên bach ar ei ffordd i fyny. Prif sylw J. Lloyd Williams oedd:

> … y mae'n drist meddwl gynifer o gyfrolau o hanes diddorol yr aethom heibio iddynt ar y daith hon, heb gymaint â dychmygu eu bod yno'n disgwyl cael eu darllen. Gan ein bod yn efrydu Llysieuaeth, rhyfedd na buasai John Price wedi dweud rhywbeth

> wrthym am rai o blanhigion alpaidd yr Wyddfa. A wyddai ef am bethau mor ddiddorol? Digon prin – nid oeddynt yn y *Syllabus* nac yn y *text-book.*[3]

Mor wir y llefarodd ond gwnaeth J. Lloyd Williams i fyny am yr amryfusedd yn ystod ei yrfa gan ddod yn arbenigwr blaenllaw ar blanhigion mynyddoedd Eryri. Mae'n resyn fodd bynnag na chafwyd mwy o gofnodion gan Gymry'r cyfnod am y tywysyddion Cymreig lleol. Ymddengys iddynt gael eu llwyr anwybyddu gan hanes hyd at yn ddiweddar er bod llawer ohonynt yn fotanegwyr a chanddynt wybodaeth ymarferol o'u milltir sgwâr.

Roedd maes diddordeb y J. Lloyd Williams ifanc mewn natur yn eang gan gynnwys adar, anifeiliaid a phryfetach, yn ogystal â phlanhigion, ffosiliau a chreigiau. Gan fod botaneg yn bwnc arholiad yn y Normal rhaid oedd iddo yn ystod y blynyddoedd hynny gulhau ei faes a chanolbwyntio mwy ar yr wyddor honno, fel y sylwodd ei chwaer, Elizabeth Williams, a grybwyllwyd yn y bennod flaenorol.

Yn ystod ei ddyddiau cynnar yn y Normal ymwelodd â'r darn tir calchog uwchlaw'r Fenai a adwaenid fel Gored y Gut a daeth ar draws mwy o blanhigion nad oeddynt yn tyfu o amgylch ei gartref yn Llanrwst. Cofir iddo eisoes gael profiad o rai ohonynt tra'n cerdded o'r Rhyl am Fae Colwyn yn dilyn un o'i arholiadau disgybl-athro. Un o'r planhigion y cofnoda iddo ei weld yng Ngored y Gut yw'r Cor-rosyn *(Helianthemum nummularia),* sy'n flodyn digon cyffredin ar galchfaen Penygogarth ger Llandudno, er enghraifft, ond nad yw'n digwydd oddi allan i derfynau'r cynefinoedd hyn. Bellach mae'r darn tir hwn ar lannau'r Fenai lle bu J. Lloyd Williams yn chwilota am blanhigion yn ystod ei flynyddoedd coleg wedi lleihau'n arw yn dilyn datblygiadau fel adeiladu, ond erys rhan ohono o hyd yn adnabyddus fel Gwarchodfa Natur Nantporth dan reolaeth Ymddiriedolaeth Natur Gogledd Cymru.

Er bod J. Lloyd Williams yn cyfaddef iddo ddyfalu ynglŷn ag ecoleg planhigion yn ystod y cyfnod hwn nid oedd yn bwnc a gâi sylw ar y pryd yn y Normal, ac meddai:

> Ni ddygais fy nghwestiynau i'r Coleg, am y rheswm eu bod y tu allan i derfynau'r *text-book,* ac, o hynny, "dim perig" y digwyddent mewn arholiad. Y pryd hwnnw nid oedd y llyfrau yn ymwneud â chwestiynau o'r fath; ond flynyddoedd yn ddiweddarach fe aned

> cangen newydd o Lysieuaeth a ymholai yngylch arferion a chysylltiadau cymdeithasol planhigion. Geilw'r Saeson y gangen *"Oecology"* neu *"Ecology"* ... I aros i'r ieithydd Cymraeg lunio gwell enw, awgrymaf alw'r wyddor newydd yn "Gymdeithaseg", neu ynteu yn "Breswyleg".[4]

Roedd bywyd myfyriwr yng Ngholeg y Normal bryd hynny 'yn un caeth a mynachaidd' yn ôl J. Lloyd Williams. O'i gymharu â'r bywyd hwnnw heddiw buasai rhai yn ei ddisgrifio'n fwy fel carchar na choleg gan nad oedd y drysau yn cael eu datgloi i'r myfyrwyr gael mynd allan ond ar adegau penodol, ac ystyrid smocio a chyfathrachu gyda merched Bangor yn bechodau anfaddeuol. Oherwydd ei swildod cyfeddyf mai pur anaml yr âi yntau i'r dref gan mai gwell oedd ganddo grwydro'r wlad yn ystod ei oriau hamdden i chwilio am blanhigion.

Er yr holl reolau caeth a'r ddisgyblaeth a deyrnasai yn y Normal ymddengys bod ysbryd anturus rhai o'r myfyrwyr yn drech nag unrhyw ofn o'r canlyniadau a fyddai'n sicr o ddod i'w rhan petaent yn beiddio anufuddhau ac felly y bu pan fentrodd mintai ohonynt mewn cwch rhwng y pontydd ar Gulfor Menai. Y cychwr a logwyd oedd gŵr o'r enw Bob Jones ond cyn cychwyn fe alwyd ar J. Lloyd Williams o'r neilltu gan gychwr profiadol o'r Garth a dywedwyd wrtho am beidio â gadael i Bob Jones fynd â'r cwch y tu draw i Bont Telford. Meddai'r hen gychwr:

> Hefo'r llanw'n rhedag fel y mae o fedrwch chi byth rwyfo'n ôl mewn pryd. Ac os ewch chi i'r *Swillies* ŵyr Bob ddim am y *currents;* ac unwaith y cyll ei ben 'does wybod beth a ddigwydd.[5]

Ond er cael y rhybudd gan yr hen gychwr o'r Garth, ac er bod J. Lloyd Williams wedi ceisio pasio'r genadwri i un o'r lleill, bwriwyd ymlaen gyda'r fordaith. 'Feddyliodd neb ar y pryd y buasai'r cyfan yn darfod mewn miwtini. Wrth rwyfo'n galed ymlaen dan y grogbont rhyfeddai'r bechgyn at gywreindeb ei hadeiladwaith heb sôn am y golygfeydd o boptu'r Fenai. Yn sydyn dyma lais cynhyrfus Bob y cychwr yn torri'n sydyn ar y tawelwch ac yn gorchymyn rhwyfo'n ôl rhag mynd i gerrynt croes tywyllodrus Pwll Ceris *(Swillies).* Ond gwaethygodd y sefyllfa:

> ... rywfodd neu'i gilydd methodd (?) y rhwyfwyr a deall cyfarwyddiadau "Capten Bob," a thra oedd ef, yn ei ddychryn, yn llefain a bygwth, ysgubwyd y cwch yn ei flaen; ac nid oedd dim i'w

wneud ond ei gyfeirio i'r sianel letaf – yr un rhwng yr ynysoedd a Sir Gaernarfon. Cyn i Bob orffen dweud y drefn wrth ei griw anufudd cludasai'r llifeiriant ni'n gyflym o dan y ddwybont nes ein bod mewn dyfroedd tawelach rhwng Pont y Rheilffordd a'r Felinheli (Port Dinorwic).[6]

Fel y rhybuddiodd yr hen gychwr o'r Garth, cyn cychwyn ar y fordaith, ni wyddai Bob Jones y ffordd orau i fanteisio ar y cerrynt croes a chan fod rhwyfo'n ôl i ddannedd llanw cryf yn waith caled i rwyfwyr anghyfarwydd penderfynwyd glanio a chael seibiant. Gorffwys yn yr haul y bu'r rhan fwyaf o'r myfyrwyr a'r cychwr yntau ond aeth J. Lloyd Williams gyda'i gyfaill Phillips i chwilota am blanhigion nes bod pawb wedi llwyr anghofio am gyrffyw llym y coleg. Ac yn sydyn deffrodd Bob Jones y cychwr, gwelodd bod y llanw wedi troi, chwibanodd a gwaeddodd yn gynhyrfus bod yn rhaid ail-gychwyn am adref yn ddiymdroi os am frigo tonnau Pwll Ceris. Roedd y croes-ffrydiau yn chwyrn iawn erbyn hyn islaw Pont Britannia ac o'u gweld collodd y cychwr bob rheolaeth arno ef ei hun, yn ogystal â'i gwch, a dyna'r adeg pan ddigwyddodd y 'miwtini'.

> *We're done for boys* gwaeddodd Bob, ac yna gwneud osgo troi'r cwch tua'r lan. Ar amrantiad gwthiodd Nat Evans ef o'r neilltu; neidiodd Phillips i'r tiller, a chyfeiriodd flaen y cwch i ganol y sianel, lle'r edrychai'r tonnau yn fwyaf bygythiol. Aeth wyneb y Capten (?) fel y galchen; cydiai mor dynn yn ochrau'r cwch nes bod ei figyrnau'n wynion; a symudai ei wefusau fel pe bai'n prysur weddïo. Ond cyn iddo gael amser i orffen ei erfyniadau yr oedd y cwch wedi ymsaethu i lawr, yna i fyny'r ochr arall, a thrwy'r cerrynt i dawelwch cymharol y "Pwll".[7]

Yn dilyn y waredigaeth o'r Fenai derbyniodd y myfyrwyr anturus gerydd gan awdurdodau'r coleg ond ychydig a feddyliodd J. Lloyd Williams ar y pryd y buasai ganddo ef a'i gyfaill Phillips le i ddiolch i'r cynefin dyfrllyd a gwyllt hwnnw (ac yn sicr i gychwyr profiadol Menai) o gwmpas mân ynysoedd Llantysilio am gyflenwad dihysbydd o wahanol fathau o wymon ar gyfer astudiaethau'r dyfodol. Roedd y cynefin hwn eisoes wedi cael sylw gan fotanegwyr fel y gwelwyd yn y bennod gyntaf tra'n ymdrin â hanes ymweliad Samuel Brewer â Gogledd Cymru yn 1727.

Fel sawl Methodist yn ei ddosbarth bu J. Lloyd Williams yn aelod selog yng Nghapel Tŵrgwyn yn ystod ei gyfnod fel myfyriwr ym Mangor ond o gofio'r dadleuon a fu rhyngddo a'r diwinyddion uniongred yn y Capel Mawr, Llanrwst, ynglŷn â'i ffydd, o ystyried darganfyddiadau gwyddonol, mae'n amlwg bod yr un cwestiynau yn parhau i achosi problemau iddo. Daeth myfyriwr o'r un flwyddyn ato ar y Sul canlynol i'r antur a'r 'miwtini' ar y Fenai i'w holi ynglŷn â'r digwyddiad. Roedd y gŵr ifanc hwn yn 'un o'r rhai duwiolaf a dwysaf ei ysbryd yn y Coleg', cyffelyb ei ddaliadau i William Jones, Bodunig, mae'n debyg. Gofynnodd i J. Lloyd Williams beth petai o wedi boddi wrth ryfygu felly. Atebodd yntau yn ddigon di-hitio: 'Wel, cawswn fy nghadw mewn bocs cul heb obaith cael mynd mwy mewn cwch i'r Swilis nac unman arall.' Cafodd gerydd gan y gŵr ifanc iddo beidio â gwamalu a gofynnodd iddo'r 'cwestiwn mawr' , sef, a oedd yn barod i wynebu ei Greawdwr petai ei ddiwedd wedi dod? Bu raid i J. Lloyd Williams gyfaddef na allai roi ateb.

Eithr parhau i boenydio meddwl J. Lloyd Williams yr oedd y problemau dadleuol a'r amheuon y bu'n ymgodymu â hwynt ers dyddiau'r Ysgol Sul yn y Capel Mawr. Ar y Suliau darllenodd lawer ar lyfr poblogaidd William Paley (1743-1805) *Evidences of Christianity* a *The Method of the Divine Government, physical and moral* gan James McCosh a gyhoeddwyd gyntaf yn 1850, ac a welodd sawl argraffiad diweddarach. Mae'n ddiddorol sylwi mai 'Mackintosh' ac nid 'McCosh' a argraffwyd ar dudalen 127 o drydedd gyfrol J. Lloyd Williams o'i *Atgofion.* Ai camgymeriad yr argraffwyr wrth ddarllen y llawysgrif wreiddiol ynteu llithriad yr awdur? Pwy a ŵyr?

> ... methwn adnabod "Duw Cariad" y Testament Newydd yn Nuw dialgar yr Hen Destament. A paham yr oedd cynifer o rannau o'r Llyfr Dwyfol yn gwrth-ddweud ei gilydd os oedd y cwbl wedi eu hysgrifennu dan gyfarwyddyd yr un Ysbryd anffaeledig?[8]

Yn ei benbleth holodd J. Lloyd Williams flaenor ond ni chymerodd hwnnw ei gwestiynau o ddifrif gan na allai gredu bod myfyriwr yn gofyn y fath bethau. Aeth wedyn at bregethwr poblogaidd a oedd yn M.A. ac a fyddai'n cyflwyno ychydig o wyddoniaeth i'w bregethau ond ar wahân i gydymdeimlad ni dderbyniodd fawr o gymorth ganddo yntau. O holi'r pregethwr tybed a oedd yn coelio popeth a ddywaid y Beibl atebodd hwnnw ei fod, gan ychwanegu: 'Pe medrai rhywun brofi i mi fod cymaint ag un adnod yn anghywir, mi gollwn fy ffydd ym mhob adnod arall yn y llyfr.' Oherwydd maint y copïo a fu ar lyfrau'r Beibl dros y canrifoedd amheuai J. Lloyd Williams gywirdeb y copïo hwnnw. Holodd y pregethwr ymhellach, a gredai mai damhegion oedd stori'r afal yng Ngardd Eden a hanes y morfil yn llyncu Jonah? Fe'i hatebwyd gyda'r honiad fod hyn oll yn wirionedd gan ei fod yn y Beibl. Ond oni wyddai, gofynnodd y myfyriwr dygn, ac yntau'n bregethwr yn ymddiddori mewn gwyddoniaeth, fod gwddf morfil yn rhy gul iddo fedru llyncu dyn? Gwyddai, fe wyddai'r brawd hynny; ond roedd wedi darllen mewn papur newydd yn ddiweddar fod math newydd ar forfil wedi ei ddarganfod a allai lyncu nid yn unig ddyn ond hefyd y cwch yr oedd ynddo. Dyma'r casgliad y daeth J. Lloyd Williams iddo wedi'r ddau gyfweliad:

> Cofier bod y gŵr hwn yn ddyn duwiol ac yn fugail gweithgar; gresyn mai gwyddoniaeth papur newydd oedd ganddo. Wedi'r ddwy siom nid anturiais byth mwyach i geisio anghwanegiad i'm ffydd trwy na bugail na blaenor. Diamau bod rhai o'r ddau ddosbarth a allai roddi imi oleuni, a nerth, a chysur; ond ofnwn agor fy nghalon i neb rhag caffael siom arall.[9]

Er ei holl amheuon ni fu erioed yn anffyddiwr a bu ei ymroddiad i'w faes arbennig a chanlyniadau'r ymchwiliadau gwyddonol a gynhaliodd yn ystod ei yrfa i geisio darganfod cyfrinachau a chymhlethdod gwahanol agweddau ar fyd natur yn fodd i'w ddarbwyllo a chryfhau ei ffydd. Wrth aeddfedu dros y blynyddoedd llwyddodd i gyfuno gwyddoniaeth a diwinyddiaeth a lluniodd ysgrifau a darlithoedd nos ar y pwnc lle bu'n egluro ei safiad drwy gyfuniad o ymresymiad a phrofiad.

Afraid dweud i gryfder ei ffydd gael ei brofi i'r eithaf yn ystod ei flwyddyn gyntaf yn y Normal. Derbyniodd deligram ychydig ddyddiau cyn arholiad botaneg mis Mai i ddweud bod ei fam yn marw. Gafaelodd y sioc i'r fath raddau arno tra'n disgwyl yng Ngorsaf Bangor fel y gadawodd i'r trên fynd hebddo ac yntau'n syllu arni'n mynd. Arhosodd deirawr am y trên nesaf a chyrhaeddodd ei gartref ychydig cyn y diwedd ond nid oedd ei fam yn ei adnabod. O hynny ymlaen gofalodd ei nain am y cartref yn Llanrwst.

> Arhosais ddeuddydd ar ôl y cynhebrwng, ac yna cychwynnais yn ôl – ar draed, er mwyn arbed pres y trên. Daeth fy nhad i'm hebrwng, yn bendrist a phryderus, trwy Drefriw a Thal-y-bont. Cytunasom i gael fy nain i edrych ar ôl y tŷ a'r pedwar plentyn – yr oedd tri ohonom wedi cychwyn allan. Yna pan orffennwn yn y coleg a chaffael ysgol, gallwn gychwyn cartref newydd iddynt.

> Wedi troi i ben y ffordd dros Fwlch y Ddeufaen, trodd fy nhad yn ôl; ond cyn mynd gwasgodd fy llaw a dweud: "Diolch iti John, am geisio codi fy nghalon – rhaid i ti a minnau 'neud ein gorau i gychwyn y pedwar plentyn yma, ond mi fydd yn anodd iawn i mi heb Jane – y hi oedd yn llywio a threfnu pob peth, fel y gwyddost." Yna, i guddio'r dagrau, cychwynnodd ymaith yn chwyrn, a'm gadael i orffen yr ugain milltir i Fangor, a theimlo, am y tro cyntaf, bod un o feichiau bywyd wedi ei osod ar fy ysgwyddau.[10]

Bu'r flwyddyn 1873, sef ei flwyddyn gyntaf yng Ngholeg y Normal, yn groesffordd ym mywyd J. Lloyd Williams. Dyma'r flwyddyn pan gefnodd yn gyfangwbl ar astudio pryfetach, anifeiliaid ac adar a chanolbwyntio ar blanhigion, ac yn ôl ei gyfaddefiad ei hun y tiwtor brwdfrydig John Price oedd y prif ddylanwad a'i cyfarwyddodd i'r cyfeiriad hwnnw.

Ei hoff gyrchfan yn ystod y ddwy flynedd a dreuliodd yn y Normal oedd y llethr coediog uwchlaw'r Fenai lle tyfai planhigion y galchfaen. Yr oedd y cynefin hwn, sy'n Warchodfa Natur bellach fel y gwelsom, nid yn unig yn lle delfrydol iddo encilio i fyfyrio ond hefyd yn safle hynod o hwylus ar gyfer astudio botaneg gan ei fod o fewn cyrraedd i'r myfyrwyr gael casglu gwahanol blanhigion ar gyfer eu hastudiaethau. Yn ôl y drefn rhaid oedd datgymalu'r planhigion gan roi'r term gwyddonol priodol i bob rhan ohonynt er mwyn darganfod pa rywogaeth oeddynt. Fel arfer roedd J. Lloyd Williams yn dra beirniadol o'r 'termau crand' chwedl yntau, a benodwyd i bob rhan o'r blodau a hefyd o enwau fel *calcicoles,* planhigion calchgar, a *calciphobes* neu *calcifuge,* planhigion calchgas, a gresynai:

> y mae'n drist meddwl bod ugeiniau o efrydwyr mewn ysgol a choleg yn fodlon ar eu dysgu ar y cof heb erioed weld enghreifftiau ohonynt, na theimlo ias o ddiddordeb yn ffeithiau rhyfeddol eu bywyd. Afraid ydyw dywedyd nad gwybodaeth ydyw'r cofio hwn, ond *"cram"* ar gyfer arholiad – peth niweidiol i ddiwylliant a phersonoliaeth.[11]

Yn ogystal â'r Cor-rosyn gwelodd J. Lloyd Williams hefyd y Gwyddlwyn Cyffredin *(Sanguisorba minor) 'Salad Burnet'* yn Saesneg, ond 'Llysiau'r Cryman' yw ei enw ef arno. Yn ôl *Enwau Cymraeg ar blanhigion*[12] gelwir y *Scarlet Pimpernel (Anagallis arvensis)* yn 'Llys y Cryman'. Ceir amrywiaeth o rosynnau gwyllt ar y bryncyn hefyd, a gwelodd dri math o Degeirian. Ond roedd y planhigyn mwyaf anghyffredin yn tyfu wrth yr hen chwarel yno. Yma, wedi gwau ei hun am goesyn Meillionen gwelodd y Llindag *(Common Dodder: Cuscuta epithymum)* am y tro cyntaf. Mae'r Llindag yn arbennig oherwydd y modd y mae wedi llwyddo i'w gynnal ei hun, a blodeuo heb fod ganddo'r un ddeilen, drwy sugno ei ymborth o blanhigion eraill fel Meillion. Yr oedd J. Lloyd Williams yn hoff iawn o hudo ei gyfeillion i'w 'hoff helfan' a rhannodd gyda hwynt ei ddiddordeb drwy ddangos ac egluro nodweddion gwahanol blanhigion fel y Llindag a'r Tegeirian *(Orchidaceae),* ond:

Hugh Davies (1739 – 1821)
Awdur *Welsh Botanology*
Llun: Y Casglwr, Haf 1999

> ... ar ôl tro neu ddau blinasant – yr oedd blodau prydferthach yn ninas Bangor, a honno tu draw i Nant Uffern. Ar hyd fy nwy flynedd yn y Coleg awn yn aml i ben y grib; weithiau i lysieua, dro arall i geisio meistroli gwersi go anodd, neu ynteu i gyfansoddi traethawd – dyma fy myfyrgell ...[13]

Fel y dynesai diwedd ei flwyddyn gyntaf yn y Coleg gweithiai pawb o'r dosbarth ar gyfer yr arholiadau ac yn ystod y cyfnod hwn dechreuodd ei gyfeillion boeni yn ei gylch am y credent bod yr holl astudio yn dechrau dweud ar ei iechyd. Er mwyn ceisio tipyn o newid amgylchedd a chael awyr iach trefnwyd taith gerdded i gyfeiriad Aber ac i ffwrdd â hwy dros fynydd Bangor a thros Afon Cegin drwy Landygái a heibio Castell Penrhyn. Wedi cael golwg ar dlysni'r llechweddau coediog a'r afon a redai drwy'r dyffryn penderfynwyd dychwelyd i Fangor ar hyd glan y môr. Person Aber yn ystod blynyddoedd olaf y ddeunawfed ganrif oedd y botanegydd enwog Hugh Davies o Fôn, awdur y *Welsh Botanology* (1813), ond mae J. Lloyd Williams yn cyfaddef na wyddai ef hynny ar y pryd, nac ychwaith am frwydr y Dalar Hir pan garcharwyd y Brenhinwr John Owen Clenennau yn ystod y Rhyfel Cartref rhwng lluoedd Siarl y cyntaf a'r Senedd. Ni freuddwydiodd y byddai'n treulio noson yn y Clenennau, cartref Isaac Watkin, cadeirydd y Bwrdd Ysgol, yn dilyn ei gyfweliad am swydd ysgolfeistr Garn Dolbenmaen cyn diwedd y flwyddyn honno.

Erbyn hyn, a hithau'n hwyrhau, roedd chwant bwyd ar y bechgyn ac er mwyn cyrraedd y Coleg erbyn amser te penderfynwyd, ar awgrym J. Lloyd Williams, dorri ychydig ar y siwrnai drwy ddilyn yr arfordir yn ôl o Aber i Fangor. Er mwyn cyflawni hyn rhaid cerdded rhwng godre waliau Castell Penrhyn a'r culfor. Wrth gerdded y traeth siomwyd ef o'r ochr orau pan sylweddolodd ei fod yn tramwyo drwy gynefin cymdeithas wahanol o blanhigion, planhigion seroffytig a oedd wedi eu haddasu eu hunain a goroesi ar y traethau diymgeledd o gerrig rhydd a graean. Aeth popeth yn iawn nes iddynt gyrraedd glannau aber Afon Ogwen a oedd â'i llifeiriant yn chwyddedig oherwydd glaw trwm diweddar heb ddim gobaith o'i chroesi yn ddiogel. Doedd dim amdani os oeddynt am gario 'mlaen gyda'r llwybr tarw ond dringo dros y wal a chroesi'r bont a oedd ar dir y Penrhyn ac yna dychwelyd yn ôl i'r traeth. Er bod J. Lloyd Williams yn hen gyfarwydd ag osgoi ciperiaid ers dyddiau ei blentyndod yn Nyffryn Conwy parai'r posibilrwydd o gael eu dal yn tresmasu hunllef ar y gweddill o'r fintai. Roedd grym awdurdod ciperiaid oes Victoria a warchodai fuddiannau'r stadau mawr yn ormesol, ac o'r herwydd creai eu dylanwad barchedig ofn ymysg gwerin bobl yr oes.

> Ysgotiaid a Saeson oedd y mwyafrif ohonynt, a'u meistriaid – y pendefigion a'r sgweiriaid – oedd "gweinyddwyr cyfiawnder" (?) Oherwydd mai ychydig oedd yn llawn ddeall cyfraith tresmas, peth hawdd oedd i ustusiaid a chiperiaid ei defnyddio fel cyfrwng ystwyth a hylaw i ddychryn, ac weithiau i gosbi, gwladwyr diniwed. Yng ngolwg y bodau goruchel hyn yr oedd edrych ar ffesant, hyd yn oed dros y gwrych, yn drosedd cosbadwy; mwy ysgeler fyth ydoedd mynd led troed i un o barciau y mawrion tra-awdurdodol.[14]

Dringodd J. Lloyd Williams wal y Penrhyn ond pan oedd ar groesi'r brig gwelodd ddau giper yn ymgomio yr ochr bellaf – a gwelodd un ohonynt ef ar ben y wal. Neidiodd i lawr yn ôl ac anogodd un o'i gyfeillion, William Thomas, neu 'W. T.' fel yr adwaenid ef, i redeg ymaith gydag ef; mae'n debyg bod y gweddill wedi hen wasgaru. O gongl wal y Penrhyn daethant i ffordd gul a oedd yn arwain o'r parc i'r ffordd fawr ac wedi cyrraedd honno dechreuwyd cerdded yn hamddenol gan ymddwyn yn ddidaro. Toc, gwelwyd y ddau gan un o'r ciperiaid a daeth atynt i holi a oeddynt wedi gweld bachgen yn prowla o gwmpas, a'r ateb oedd eu bod wedi gweld rhywun ar lan y môr. O glywed hynny aeth y ddau giper i chwilio amdano. Yr oedd amser te drosodd pan gyraeddasant y Coleg, ond cymerwyd cwpanaid sydyn yn y dref ar y ffordd yn ôl ac wrth ymgynnull y noson honno i drafod digwyddiadau'r dydd byrdwn y sgwrs oedd helynt methiant y llwybr tarw. Daeth peth arall yn amlwg i J. Lloyd Williams hefyd y noson honno. Y prif reswm dros i'w gyd-fyfyrwyr ei hudo allan am awyr iach oedd bod W. T. wedi clywed am fyfyriwr a oedd wedi marw o'r ddarfodedigaeth drwy orweithio, a phoenai bod 'Lloyd' (enw ei gyfeillion arno) oherwydd yr olwg denau a llwydaidd oedd arno, yn prysuro tua'r un dynged. Ond yr hwyl oedd bod y 'claf' yn gallu rhedeg yn gyflymach ac yn llai blinedig ar ddiwedd y dydd na'r 'meddyg' hunanbenodedig.

Yn ôl J. Lloyd Williams, Reginald W. Phillips (1854-1926), o Dalgarth, Sir Frycheiniog, oedd y bachgen mwyaf addawol o blith ei gyd-fyfyrwyr yn ystod y cyfnod hwn. Daeth y ddau yn gyfeillion agos ond, am resymau y byddwn yn ymdrin â hwy ymhellach ymlaen, llwyddodd Phillips i ddyrchafu ei sefyllfa yn gynt na J. Lloyd Williams. Talodd J. Lloyd Williams y deyrnged hon i Phillips yn ei hunangofiant:

> ... bachgen amddifad ydoedd a fagwyd gan ewythr a modryb, ac a fu'n ddigon ffodus i gael cychwyn da gan athro gwell na'r cyffredin. Daeth ef a minnau yn gyfeillion mynwesol. Yn ddiweddarach crwydrasom lawer dros fynyddoedd ac ar hyd glannau'r moroedd i lysieua, gydag ambell egwyl o bysgota yn afon Dwyfor a Chwm Pennant. Bu ef yn athro yn y Normal am ysbaid. Graddiodd yng Nghaergrawnt a Llundain, ac yna treuliodd flynyddoedd yn Athro Llysieueg yng Ngholeg y Gogledd, ac am ran o'r amser bûm innau yn Ddarlithydd yn yr un adran. Yn ystod yr amser hwn cyhoeddodd Phillips bapurau gwyddonol, ond gwnaeth ei waith pwysicaf ynglŷn ag addysg; llanwodd swyddi pwysig, a bu o ddirfawr wasanaeth i Gymru.[15]

Fel J. Lloyd Williams, arbenigodd Phillips mewn astudio hanes bywyd gwymon ond nid oedd astudiaethau na chyrsiau o'r fath yn cael eu cynnig yn y Normal yn ystod 1873-4. Elfennol iawn oedd gwersi botaneg y coleg bryd hynny. Yn wir, prif nodwedd botaneg yn ystod rhan helaeth o'r bedwaredd ganrif ar bymtheg oedd casglu, cofnodi safleoedd ar gyfer llunio dosbarthiad daearegol planhigion, a chasglu er mwyn ffurfio Herbariwm (gardd sych). Nid oedd fawr o newid wedi bod ym myd botaneg ers dros ddau gan mlynedd; gwaith maes allan yn yr awyr agored ydoedd gan mwyaf, ond fel y dynesai'r bedwaredd ganrif ar bymtheg at ei therfyn yr oedd cryn newidiadau ar droed. Cynyddodd nifer y botanegwyr proffesiynol fel y cynyddai'r prifysgolion a chanlyniad hyn oedd bod mwy o sylw yn cael ei roi i ddatrys problemau biolegol planhigion, a throdd sawl gwyddonydd eangfrydig ei olygon tua'r maes newydd. Rhennir gwymon yn dri dosbarth yn ôl eu lliwiau gan fotanegwyr, gwyrdd *(Chlorophyceae)*, brown *(Phaeophyceae)* a choch *(Rhodophyceae)*. Tra roedd J. Lloyd Williams yn canolbwyntio ar y dosbarth brown, gweithiodd Phillips ar forffoleg y gwymon coch a chyhoeddodd ffrwyth ei astudiaethau ar ddatblygiad y systocarp yn y cylchgrawn *Annals of Botany* yn ystod y blynyddoedd 1895-7.

Wedi derbyn ei dystysgrif ar ôl cwblhau ei dymor yn y Normal yn 1874 penodwyd Phillips yn brifathro ysgol elfennol yn Ferndale ond byr fu ei arhosiad yno gan iddo dderbyn gwahoddiad i ddychwelyd i'w hen goleg fel tiwtor. Rhoddodd y gorau i'r swydd hon yn 1881 ac aeth i Goleg Sant Ioan, Caergrawnt, fel myfyriwr i astudio botaneg dan yr Athro Sydney Howard Vines (1849-1934). Graddiodd gydag anrhydedd dosbarth cyntaf yn y *Natural Sciences Tripos* yn 1884 a thra yno bu'n gweithio ar drydarthiad gyda Francis Darwin, mab Charles Darwin. Yn ystod yr un flwyddyn penodwyd ef yn un o'r cyfryw athrawon ifainc brwdfrydig a oedd i osod sylfaen lwyddiannus i'r Coleg Prifysgol newydd ym Mangor. Ar y cychwyn roedd Phillips yn gyfrifol am y ddwy gangen o fioleg ond gwahanwyd y rhain yn fuan a dyrchafwyd ef i gadair Athro Botaneg. Bu sawl un o'r athrawon hyn yn gyfrifol am sefydlu cyrsiau astudiaethau allanol mewn gwahanol ganolfannau a bu'r rhai mewn botaneg yn llwyddiannus tu hwnt. Mewn ysgrif goffa i Phillips mae J. Lloyd Williams yn uchel ei ganmoliaeth o'r cyrsiau allanol gan eu disgrifio fel rhai:

> ... lucid and interesting, and the printed syllabuses so filled with well-arranged information, that increased attention was paid to the subject; and, in addition as a direct result of this slight contact with University Studies, many young people were attracted to the College itself.[16]

Rhwng 1900 a 1904 bu Phillips yn Llundain ar adegau penodol fel arholydd allanol mewn botaneg ym Mhrifysgol Llundain. Mynychodd rai o gyfarfodydd y *British Association* a gynhelid mewn gwahanol leoedd ym Mhrydain a thu hwnt yn flynyddol, a darllenodd y papur agoriadol *On the recent advances in our knowledge of seaweeds* yn y cyfarfod a gynhaliwyd yn

Cape Town, De Affrica, yn 1905. Derbyniwyd ef yn Gymrawd o'r Gymdeithas Linneaidd yn 1890.

Magodd Phillips ddiddordeb ym menter addysg Cadwaladr Davies, cofrestrydd Coleg Bangor, gŵr a chanddo ran flaenllaw yn sefydlu y *North Wales Scholarship Association,* a phan gychwynnwyd yr ysgolion uwchradd gwasanaethodd Phillips am flynyddoedd fel cadeirydd corff y llywodraethwyr. Ar ben hyn bu'n aelod o bwyllgor addysg Meirionnydd gan lwyddo i gynnal ei astudiaethau gwyddonol ar yr un pryd nid yn unig ar y gwymon coch, ond hefyd ar alga gan gyfrannu erthygl arno i'r 10fed a'r 11fed argraffiad o'r *Encyclopaedia Britannica.* Ymgollodd fwyfwy mewn gwaith gweinyddol wedyn gan ychwanegu swyddi ynad a chadeirydd tribiwnlys lleol yn ystod blynyddoedd y Rhyfel Mawr. Canlyniad hyn oll oedd nad oedd ganddo'r amser i fynd ymlaen gyda'i waith ymchwil gwyddonol.

Bu colli ei fab drwy foddi, ynghyd â marwolaeth ei wraig, yn golled enbyd i Phillips ac o ganlyniad dirywiodd ei iechyd. Yn Hydref 1922 ymddiswyddodd o'i Gadair yn y Brifysgol ond caniataodd ei olynydd, yr Athro David Thoday (1883-1964), iddo gael defnyddio ei hen labordy ar gyfer parhau gyda'i waith ymchwil. Er dioddef ohono sawl atglafychiad llwyddodd i wneud hynny a chyhoeddi ffrwyth ei lafur mewn cylchgronau fel *Annals of Botany* a *New Phytologist* yn ystod 1924 a 1926.

Yn ystod wythnos o wyliau haf aeth J. Lloyd Williams i aros ym Marics Chwarel y Llechwedd, Blaenau Ffestiniog, a threuliodd ei ddyddiau yn chwilota'r mynyddoedd am blanhigion Arctig-Alpaidd. Nid yw'r mynyddoedd hyn mor gynhyrchiol â'r Wyddfa a'r Glyder am amrywiaeth planhigion a hyd y gwyddys nid yw ei restr o'r llystyfiant a welodd yno ar y pryd wedi goroesi. Fodd bynnag tyf un planhigyn prin iawn ar y Moelwyn a hwnnw yw Berwr y Cerrig *(Arabis petraea).* Darganfuwyd hwn gyntaf ar y safle hon gan Edward Lhuyd a chyhoeddwyd hynny gan John Ray yng nghyhoeddiad cyntaf ei *Synopsis* yn 1690 a phery i dyfu yn yr un cynefin. Does dim sicrwydd a oedd J. Lloyd Williams yn gyfarwydd â'r safle yma i Ferwr y Cerrig, ond petai 'Griff', brodor o'r Rhiwbryfdir, Blaenau Ffestiniog, cyd-fyfyriwr a chyfaill arall iddo, gydag ef ar y pryd, yna buasai'n sicr o fod wedi elwa a dod yn fwy cyfarwydd â llechweddau'r Manod a'r Moelwyn.

Ar wahân i Phillips dyma un arall a rannai'r un diddordebau â J. Lloyd

Williams. Daeth Griffith John Williams (1854-1933) o Flaenau Ffestiniog i Goleg y Normal yn ystod ail flwyddyn J. Lloyd Williams yno gan ffurfio o'r wythnos gyntaf gyfeillgarwch a barhaodd am oes. Am ei fod yn aelod o'r dosbarth *juniors,* fel y cyfeirid atynt gan *seniors* y Normal ar y pryd, mawr oedd y tynnu coes ond roedd gan J. Lloyd Williams feddwl mawr o 'Griff' er nad oedd traddodiadau'r coleg yn annog cyfeillgarwch rhwng myfyrwyr o wahanol flynyddoedd:

> Fel llawer o Gymry talentog eraill yr oedd meddwl Griff yn amlochrog. Gallai wneud llawer o bethau gwahanol, a'u gwneud yn dda. Ond, yn aml, yr oedd hyn yn anfantais iddo. Yr oedd yn gerddor go lew, ac yn chwarae'r feiolin; yn arlunudd a ffotograffydd medrus; yn brydydd parod a doniol; ac yn gyfarwydd a hanes a llên Cymru; daeth yn llysieuydd pur dda ac yn ddaearegwr dan gamp, a chanddo un o'r casgliadau gorau yng Nghymru o greigiau a ffosylau.[17]

Fel J. Lloyd Williams uchelgais Griffith John Williams oedd cael mynd i'r chwarel. Gwireddwyd ei ddymuniad a bu'n gweithio am gyfnod yn chwareli'r Oakley a Holland ond gan y credai un o gymwynaswyr yr ardal mai gwastraff talent oedd hyn llwyddwyd i'w berswadio i dderbyn y pum mlynedd arferol o hyfforddiant fel disgybl-athro a llwyddodd i ennill mynediad i goleg y Normal wedyn. Gadawodd y Normal yn 1875 ac yn ystod y flwyddyn ganlynol penodwyd ef yn athro ysgol elfennol Corwen, gan symud oddi yno i Danygrisiau cyn derbyn swydd yn ysgol Glanypwll. Yno y dechreuodd o ddifrif ar y gwaith o gyflwyno addysg wyddonol i'r disgyblion ac oherwydd ei lwyddiant fel athro dewiswyd ef yn Brifathro ysgol yr *Higher Grade* ym Mlaenau Ffestiniog, yr ysgol gyntaf o'i bath yng Nghymru ac yno y bu o 1883 i 1895. Yn ystod ei oriau hamdden crwydrai'r mynyddoedd gan ymddiddori mewn hanes a thraddodiadau yn ogystal â daeareg a chyhoeddwyd ei lyfr *Hanes Plwyf Ffestiniog* yn 1882. Fel daearegwr y gwnaeth ei farc ac nid drwy lyfrau yn unig y daeth yn awdurdod ar y pwnc. Os oedd unrhyw broblem ynglŷn â daeareg ei ardal a barai boendod iddo yna rhaid ei datrys doed a ddelo. Edrydd J. Lloyd Williams am yr adeg pan aeth yn ei gwmni i'r Arenig Fach er mwyn datrys problem ddaearegol:

> Ond pan ddaeth y diwrnod a bennwyd i'r daith yr oedd y glaw yn ymdywallt. Er gwaethaf hyn a bod y dyfroedd yn dylifo arnom yn

ddi-dor drwy'r dydd, mynnodd y daearegwr gyflawni ei fwriad. Yr oedd pob edau amdanom wedi mwydo cyn cyrraedd ohonom greigiau yr ymchwil, ond nid oedd na'r cerdded na'r curlaw yn menu dim ar ysbryd fy nghyfaill; chwarddai a chanai fel petai'r haul yn tywynnu arno, oblegid yr oedd wedi llwyddo i gael atebion i'w gwestiynau, heblaw sicrhau nifer o *specimens* diddorol.[18]

Cofnododd J. Lloyd Williams siwrnai gyffelyb yn un o'i nodlyfrau pan gerddodd y ddau o Ffestiniog i'r Arenig Fawr ar 16 Mai 1891:

> ... very cold, windy, heavy snow on mtns. Snowing at intervals through the day. Cwm Cynfal splendid – deep – with rocky sides – *Asp. Sept.* and *viride* [Duegredynen Fforchog a Duegredynen Werdd] said to be growing here. G. J. W. told me some interesting things about some old farmhouses which he pointed out e.g. Mynachdy'r Cwm he conjectured that the present form of "Math ab Mathonwy" was due to the transcript made by the monks of this very place who localized the floating story in this neighbourhood. Close to us was Hafod yr Offeiriad – there and Hafod yr Ysbyttu which we had just passed were very old houses with solid oaken joists reaching down to the floor. ... On the top we came to a small quarry where G. J. had some fossils. I was very much struck by the numerous concretions and the cone in cone formations in the flaggy rock. From this place we struck across the boggy moor down to Llyn Tryweryn. The place seemed ... bare and desolate, hardly anything of interest to be seen ... towards Rhydfelen we found V. lutea [Fioled y Mynydd] in great abundance. Spiraea salicifolia [Erwain Helygddail] formed broad hedges here and there in the Tryweryn Valley. In the Arenig Stn. we had to stop 40' for train which was late due to Whitsun traffic. I cast abt. for plants but failed to get anything new.[19]

Er mwyn ehangu ei wybodaeth arferai Griffith John Williams fynychu cyrsiau ar ddaeareg a gynhelid bob haf gan y *Science and Art Department* yng Ngholeg South Kensington, Llundain, a thrwy hyn daeth i adnabod rhai o ddaearegwyr blaenllaw'r cyfnod. Elwodd ardal Ffestiniog o'r cyrsiau hyn hefyd, drwy bod Griff yn rhannu o'i wybodaeth gyda'r bechgyn a'u cynorthwyo i ennill tystysgrifau'r Coleg. Roedd daeareg yn boblogaidd iawn yn ystod y bedwaredd ganrif ar bymtheg ac ymddangosodd enw sawl

Cymro ymysg y rhai a etholwyd yn Gymrodyr o'r Gymdeithas Ddaearegol, cyhoeddwyd nifer o erthyglau ar ddaeareg yn y cylchgronau Cymraeg a chynigid gwobrau mewn eisteddfodau lleol a chenedlaethol.

Yn 1895 penodwyd Griffith John Williams yn Ddirprwy Arolygydd Mwynfeydd Gogledd Cymru ac Iwerddon dan y Dr. Le Neve Foster. Ef oedd yn gyfrifol bod yr amodau gwaith yn cael eu cadw, peirianwaith mewn cyflwr priodol a bod creigiau a thyllau peryglus yn cael eu diogelu.

Un o'i ddyletswyddau yn ei swydd newydd oedd archwilio i achosion damweiniau ac anrhydeddwyd ef un tro am ei wrhydri yn dychwelyd deirgwaith i lawr siafft mwynglawdd Snaefell ar Ynys Manaw i geisio achub gweithwyr a oedd yn anymwybodol oherwydd nwy carbon monocsid. Chwareli Llechi a Mwynfeydd yn unig oedd dan ei arolygaeth ond nid Pyllau Glo. Defnyddiai gamera ar gyfer paratoi tystiolaeth i'w archwiliadau a thrwy ddefnyddio golau magnesiwm dyfeisiodd ffordd newydd i dynnu lluniau dan ddaear.

Yn 1891 roedd Griffith John Williams wedi cyhoeddi erthygl gynhwysfawr ar ddaeareg mynyddoedd y Moelwyn a'r Manod yn y *Quarterly Journal of the Geological Society* a derbyniodd grant yn wobr amdanynt allan o Gronfa Murchinson y Gymdeithas Ddaearegol. Y gobaith oedd y byddai hyn yn ei annog i gyflawni gwaith ymchwil pellach ar y pwnc. Fodd bynnag, oherwydd ei ymroddiad diflino, a'r ffaith ei fod yn rhoi mwy o amser nag a ddylai i'w swydd fel Arolygydd Mwynfeydd, ni chafwyd ganddo wedyn ond ambell nodyn yn y *Geological Magazine.*

Mewn ysgrif goffa yn y *Welsh Outlook* yn Ebrill 1933 mae Wynn Wheldon yn sôn am ddiddordeb mawr Griffith John Williams yng nghysylltiadau Shelley a Borrow â Gogledd Cymru:

> Dilynodd eu llwybrau yn ofalus drwy'r Gogledd. Gwnaeth sylw manwl o'r argraff a wnaeth Borrow ar wahanol bersonau a ddaeth i gyffyrddiad ag ef, ac olrheiniodd ei siwrneiau o le i le. Gwnaeth ymchwil ofalus i'r trefniadau busnes a wnaeth Shelley pan adeiledid Cob Porthmadog, a chwiliodd am y *notes of hand* a roddodd Shelley i ffermwyr yr ardal am gyflenwad o droliau a cheffylau a ddefnyddid i adeiladu'r argae.[20]

Bu J. Lloyd Williams yng nghwmni Griffith John Williams sawl tro yn Nhanrallt, Tremadog lle bu Shelley yn aros, a chlywodd ef yn adrodd llawer o ffeithiau diddorol ynglŷn â'i ymchwil ond gresynai'n fawr na ddaeth dim ymhellach o'r peth oherwydd gofalon ei swydd. Bu Griffith John Williams farw ar 3 Chwefror 1933 a chladdwyd ef ym Mynwent Glanadda, Bangor.

Darllen erthygl ar ddaeareg yn y *Gwyddoniadur* a ysgogodd yr awydd yn J. Lloyd Williams i wybod mwy am ansawdd creigiau. Roedd eisoes wedi darganfod ychydig o ffosiliau bychain ac amherffaith tra'n chwilota'r Graig Ola ger ei gartref yn Llanrwst. Tirwedd asidig oedd yn yr ardal yn ddieithriad ond pan wasgarwyd llwythi o gerrig calch ar hyd y ffordd rhwng yr Orsaf a'r dref llawenhaodd o ddarganfod cerrig a oedd yn llawn ffosiliau cyflawn.

Eithr nid pawb yn Llanrwst oedd yn deall beth yr oedd y bachgen yn ei wneud yn cerdded 'nôl a blaen ar hyd y ffordd yn codi ambell garreg, a chlywodd yn ddiweddarach fod ei ymchwil am ffosiliau wedi codi cryn chwilfrydedd yn un o'r cymdogion:

> Cefais allan ryw ddiwrnod fod Meri Jones, y Tŷ Pen (yn ôl fy fewythr Plas Isa, "Hen drwyn fwya' stilgar a straellyd yr ardal") wedi bod hefo Mam yn holi, "Be ma'r hogyn 'na yn yn 'i neud yn stwna yn ôl a blaen hyd y ffordd? Mi gwelis i o'n codi cerrig i fyny, yn sbio'n hir arnyn nhw, ac yn stwffio rhai i'w bocad. Ydi o'n peidio colli arni, deudwch?" "Creadur digon rhyfadd ydi o," ebe Mam. "Wel, rhaid ichi dendio, neu yn y Seilam y bydd o ar 'i ben." Ac ebe Mam, "Mi fasa'n dda i'r wlad pe basa llawer un yno." Ond yr oedd croen y straeferch yn rhy dew i deimlo'r pigiad.[21]

Yn ddiweddarach clywodd J. Lloyd Williams i'w fam y prynhawn hwnnw ail-ddarllen yr erthygl ar ddaeareg yn y *Gwyddoniadur* ac aeth yn syth wedyn i chwilota drwy'r bocs lle cedwid y ffosiliau.

Ychwanegwyd Ffisiograffeg fel pwnc arholiad yn ystod tymor J. Lloyd Williams yn y Normal gan ymdrin â'r dylanwadau a oedd wedi llunio mynyddoedd, creigiau, afonydd, llynnoedd a moroedd, ac er bod gan y coleg fantais fawr yn hyn oherwydd ei leoliad yn un o'r mannau 'clasurol', sef Môn ac Arfon, gwneid y gwaith paratoi yn gyfangwbl drwy gyfrwng llyfr. Fel y dywed J. Lloyd Williams yr oedd yn anodd cael unman gyda mwy o amrywiaeth creigiau, heb sôn am olion y rhewlifoedd a oedd i'w gweld o fewn ychydig filltiroedd i'r coleg, ond roedd yn amlwg na wyddai'r athro hynny:

Ond ni ddaeth i feddwl yr athro ein gwadd i weld â'n llygaid ein hunain ystyr a chynnwys y wyddor. Er enghraifft gadawyd ni dan yr argraff nad oedd yr un *glacier* erioed wedi bod yn nes i Fangor na'r Yswisdir. Meddylier am y termau yr ymboenem i geisio eu deall a'u sicrhau yn ein cof: *"moraines", "perched blocks" "striations", "roches moutonnes"* &c. a ninnau'n meddwl y byddai gorfod mynd i'r Alpau cyn y gwelem enghreifftiau ohonynt; ond Eryri'n dryfrith ohonynt. Meddylier am Darwin yn dod yn unswydd o Loegr i Gwm Idwal i ddarllen y cofnodion a ysgrifennodd y rhew yno a'i fysedd ei hun, gyfnodau maith yn ôl. Yna meddylir am ein 'hathro' bondigrybwyll, yn lle dangos inni'r 'gyfraith a'r dystiolaeth,' yn ein condemnio i graffu am wybodaeth ar inc llyfr di-eneiniad. Gyda llaw awdur y llyfr oedd ein arholydd – pa drefniant hapusach a ellid ei gael i'n Darlithydd, i'r Arholydd, ac i farchnad y llyfr?[22]

Fel arwydd o'r hyn a oedd i ddod, un o'r swyddi y penodwyd J. Lloyd Williams iddynt yn ystod ei flwyddyn olaf yng Ngholeg y Normal oedd gofalu am ficrosgop a'r pwmp awyr; y swydd arall oedd gofalu am allwedd yr ystafell ymolchi. O gofio mai elfennol iawn oedd y gwersi botaneg a dderbyniai'r myfyrwyr prin bod neb yno yn deall sut i ddefnyddio'r microsgop yn drylwyr a golygai hynny y câi ef ei ddefnyddio pryd y mynnai:

Nid oedd neb yno i'm cyfarwyddo ynghylch adnoddau'r offeryn; and dyna gychwyn fy nghariad tuag ato ef a'i ddatguddiedigaethau rhyfeddol – cariad a barhaodd, gan gryfhau trwy'r blynyddoedd, nes i alwadau'r *Cerddor* fy ysgar oddi wrtho yn bur anfoddog.[23]

Ymddangosodd enw J. Lloyd Williams ymysg myfyrwyr y dosbarth cyntaf ar ddiwedd arholiadau 1874 yng Ngholeg y Normal a dyna ddiwedd ar saith mlynedd o baratoi ar gyfer bod yn athro ysgol; pum mlynedd fel disgybl-athro a dwy fel myfyriwr. Mewn copi o *Baner ac Amserau Cymru* a anfonwyd iddo gan ei dad ar ddiwedd Medi o'r flwyddyn honno wele'r hysbysiad canlynol yn Saesneg:

Wanted, at Christmas next, a Certificated Master for the Garn Board-School. Attendance expected to be about 200. And a Certificated Master for the Prenteg Board-School. Attendance expected to be about 70. Applications, stating class of Certificate, past experience and salary expected; accompanied with copies of Testimonials to be sent to … / William Roberts, / Clerk to the

Penmorfa School Board, / Via Garn, / Carnarvonshire. / School Board office, Sept 15th, 1874.[24]

Yn dilyn ei ymateb llwyddiannus i'r hysbyseb hwn y dechreuodd J. Lloyd Williams ar bennod nesaf ei yrfa fel athro ysgol mewn cynefin newydd eto, sef cefn gwlad Eifionydd. Yma y gwnaeth enw iddo'i hun fel botanegydd maes brwd, arloeswr ar gynefin newydd, a darganfyddwr planhigion prin.

NODIADAU: Pennod 3.

1. J. Lloyd Williams, *Atgofion Tri Chwarter Canrif* iii (Dinbych, 1944) tt. 81-2.
2. Am hanes cabanau copa'r Wyddfa gweler Dewi Jones, *Tywysyddion Eryri* (Llanrwst, 1993), tt. 59-62.
3. J. Lloyd Williams, *Atgofion Tri Chwarter Canrif* iv (Llundain, 1945), t. 57.
4. J. Lloyd Williams, *Atgofion* ... iii, t. 135.
5. Ibid., t. 123.
6. Ibid., t. 124.
7. Ibid., t. 125.
8. Ibid., t. 127.
9. Ibid., t. 129.
10. Ibid., t. 58.
11. Ibid., t. 136.
12. Dafydd Davies ac Arthur Jones, *Enwau Cymraeg ar Blanhigion* (Caerdydd, 1995), t. 62.
13. J. Lloyd Williams, *Atgofion* ... iii, t.139.
14. Ibid., t. 149.
15. Ibid., tt. 34-5.
16. J. Lloyd Williams, *Journal of Botany* 65, (1927), tt. 80-2.
17. J. Lloyd Williams, *Atgofion* ... iv, t. 27.
18. J. Lloyd Williams, *Y Traethodydd* x, (1941), tt. 23-4.
19. Llawysgrif Llyfrgell Genedlaethol Cymru, J. Lloyd Williams, Eitem 70.
20. J. Lloyd Williams, *Y Traethodydd* x ..., t. 28.
21. J. Lloyd Williams, *Atgofion Tri Chwarter Canrif* i, (Dinbych, 1941), t. 107.
22. J. Lloyd Williams, *Atgofion* ... iv, t. 39.
23. Ibid., t. 33.
24. *Baner ac Amserau Cymru*, 23 Medi 1874, t. 15.

4
Blynyddoedd Y Garn

Ni bu cartref y teulu yn Llanrwst yn union yr un fath yn dilyn Chwefror 1875 pan adawodd J. Lloyd Williams a'i chwaer Elizabeth am y cartref newydd yng Ngarn Dolbenmaen. Yr oedd dau o'r tri brawd hynaf eisoes yn gweithio, Dic yn of, Bob (a symudodd i Birmingham yn ddiweddarach) yn saer, a John ar fin cychwyn gyrfa fel ysgolfeistr. Roedd y tri ieuengaf, William, Huw ac Owen yn dal yn yr ysgol ac yn aros gyda'u tad yn Llanrwst dan ofal 'Nain Tynewydd' a'r bwriad oedd eu bod yn symud i fyw i'r Garn at John ac Elizabeth unwaith y byddai'r cartref newydd yn barod. Daeth William i'r Garn ymhen blwyddyn ac yntau'n ddeuddeg oed. Dechreuodd fel *monitor* ac wedyn fel disgybl-athro yn yr ysgol a thrwy ymdrechu derbyniodd ysgoloriaeth i'r Brifysgol ym Mangor cyn mynd i'r *Royal College of Science* yn Llundain. Wedi cyfnod fel Cyfarwyddwr Addysg yn Abertawe aeth yn Arolygydd dan y Bwrdd Addysg, swydd y bu ynddi hyd at ei ymddeoliad. Penderfynodd Huw adael yr ysgol cyn gorffen ei gyfnod fel disgybl-athro ac aeth i'r *Art School* yn South Kensington; aeth Owen i Birmingham lle roedd Bob wedi ymgartrefu a chafodd swydd yno fel clerc. Daeth y tad yntau i'r Garn a dyna lle bu hyd nes i J. Lloyd Williams ymadael yn 1893 pan ddychwelodd i Lanrwst gydag Elizabeth. I'r Garn hefyd yn ei thro y daeth 'Nain Tynewydd', ond nid arhosodd yn hir; aeth i Fanceinion i aros gyda'i chwaer.

Tair-blwydd-ar-ddeg oedd 'Lisi' ar y pryd a phan ddaeth y ddau oddi ar y trên yng Ngorsaf Bryncir roedd yn bwrw glaw ac yn niwlog; collwyd y 'llwybr-dal-trên' fwy nag unwaith yn y niwl a phan gyrhaeddwyd y Garn y noson honno roedd y ddau yn wlyb diferol. Gan nad oedd tŷ'r ysgol wedi ei orffen arhosodd y ddau ym Mhen-y-bont, siop groser y pentref, gan dderbyn pob caredigrwydd a chyfeillgarwch a barhaodd am oes.

Cafodd J. Lloyd Williams ei gip cyntaf ar fawnogydd ardal y Garn ar ddiwrnod ei gyfweliad am swydd yr ysgolfeistr ac mae'n amlwg bod cynefin o'r fath yn gymharol newydd iddo er bod corsydd cyfoethog Nant Bwlch yr Heyrn, na soniodd air amdanynt yn ei hunangofiant, heb fod

Ysgol Garn Dolbenmaen yn y 1880au. J. Lloyd Williams yn eistedd ar y chwith.
Llun: Archifau Gwynedd.

ymhell iawn o'i gartref yn Llanrwst. Mae'r corsydd hyn uwchlaw Dyffryn Conwy ynghyd â chorsydd Gyfelog a Graianog yn Eifionydd bellach dan warchodaeth y Cyngor Cefn Gwlad oherwydd eu bod yn gynefin i blanhigion prin fel y Rhedynen Gyfrdwy *(Osmunda regalis)* a Cnwpfwsogl y Gors *(Lycopodiella inundata)*. Fel y cerddai'n dalog tua'r Garn yng nghwmni ei chwaer ymddangosai ei ardal fabwysiedig yn dra gwahanol i ddyffryn coediog a ffrwythlon Conwy ac edrychai ymlaen at gael archwilio'r cynefin newydd pan ddeuai'r Gwanwyn.

Bwriodd J. Lloyd Williams iddi i greu ysgol lwyddiannus yn y Garn o'r cychwyn. Nid oedd rhai o'i syniadau newydd yn plesio Arolygwyr diysgog a hen ffasiwn y Bwrdd Addysg ond daliodd ati i hyfforddi'r disgyblion yn ei ffordd ei hun er yr holl wrthdaro fu rhyngddynt, ac yn wyneb y broblem o absenoldeb ymysg y disgyblion.

Penodwyd ei chwaer Elizabeth yn ddisgybl-athro er mwyn gofalu am y plant ieuengaf a chawn, drwy gyfrwng ei hunangofiant hi *Brethyn Cartref,* olwg ar rai o ddulliau ei brawd o hyfforddi yn enwedig ei ffordd o gyflwyno i'r plant addysg byd natur drwy gyfrwng y *Museum.*

> Câi'r plant eu hannog i gymeryd sylw o unrhyw beth ym myd natur a fai'n ddieithr iddynt, a dod â'r cyfryw i'r ysgol am eglurhad gan yr athrawon. Rhyfedd y diddordeb a gymerent. Cafodd John gan William Roberts y Saer wneud cwpwrdd mawr i'r ysgol a dyma "Miwsiwm" y plant, ac yno rhoddwyd pob "specimen" yn ei le yn daclus a'r enw priodol arno. 'Roedd o fantais fawr i'r plant fod William fy mrawd yn ddaearegwr pur dda. Felly gallai egluro iddynt wahanol greigiau'r ardal, ac yn aml âi â dosbarth allan i chwilio am *specimens.* Byddai'r cwpwrdd yn llawn o wahanol gerrig. Cafodd gan William Roberts wneud acwariwm fechan o wydr tew mewn ffrâm goed. 'Roedd wedi gosod ynddi blanhigion dŵr a cherrig, a phob math o chwilod dŵr. 'Roedd yno bryfed dŵr na welais na chynt na chwedyn rai tebyg iddynt. O ran siap y cyrff 'roeddynt heb fod yn annhebyg i'r ceiliog rhedyn, neu sioncyn y gwair, ond eu bod yn wyn fel ifori bron ac yn galed. Pryfed dŵr eraill oedd rhai a alwai John yn cadis, os wyf yn cofio. Gwnâi'r creaduriaid yma fath o diwb o'r graean a mwd amdanynt. Yn y dŵr edrychent fel priciau bach o goed tua modfedd o hyd.
>
> Credaf ei fod hanner can mlynedd o flaen ei oes yn ei ddull o gyfranu addysg.[1]

Cynllun arall o'i ddyfais a fu'n hynod boblogaidd ymysg y plant oedd y *Magic Lantern Entertainment.* Prynodd Hudlusern ar ei gost ei hun gan daro cytundeb gyda'r cwmni i gael benthyg sleidiau a chael eu cyfnewid yn achlysurol. Prynodd hefyd nifer o gardiau goleuedig o wahanol faint a rhoi un ohonynt i bob plentyn a lwyddai i fod yn bresennol yn yr ysgol am wythnos gyfan. Roedd cael pedwar o'r cardiau hyn yn golygu y caniateid i blentyn fynediad i'r *Magic Lantern Entertainment* ac o ganlyniad gwelwyd cryn leihad yn nifer yr absenolion. Yn ogystal lluniodd nifer o sleidiau ei hun gan osod gwahanol fathau o bryfetach rhwng y gwydrau ar gyfer gwersi byd natur.

Hoff gyrchfan poblogaeth pentrefi cylch Arfon a rhannau o Eifionydd ar y Sadyrnau oedd tref Caernarfon a'r prif reswm am hynny oedd ei Marchnad brysur a'i hamrywiaeth siopau. Yno y tyrrai'r ffermwyr a'r tyddynwyr o orsafoedd lein Afonwen gyda'u hymenyn a'u hwyau ac roedd twrw'r hwyaid a'r ieir yn y cerbyd bagiau yn fyddarol. Cofnododd J. Lloyd Williams yn ei hunangofiant fel y byddai'n arferiad gan sawl athro ysgol ymweld â'r dref ar brynhawn Sadwrn, yntau yn eu plith:

> Gellid gweld yr un rhai yno bob Sadwrn; cerddent yn ddau neu dri dan ysmygu a sgwrsio am waith eu hysgolion; am fympwyon yr Inspector a pha fodd i'w cyfarfod; ... Wedi bod yn nhwrf y plant am bum niwrnod yr oedd yn amheuthun cael dod "i'r Dre" am ddwyawr neu dair, a mynd rownd a rownd, o'r Maes at y môr, ac yn ôl heibio'r Farchnad. ... Awn innau i'r dre ambell waith, ond nid cyn fynyched â'r athrawon a gynhaliai'r arfer ar hyd yr wythnosau. Pan awn yno cawn lyfrau a misolion yn siop John Williams ... Yr unig siop arall yr awn iddi oedd eiddo Rowlands yng nghwr y Maes lle cawn fân bethau at wasanaeth yr ysgol ... Ond fel rheol ychydig a arhoswn yn "amgylch-ogylchu" strydoedd Caernarfon. Gwell ydoedd picio efo'r trên i Lanberis – yr oedd amryw fathau o blanhigion prin yn tyfu yn nyfroedd y llyn; a thegeirian *(Orchis)* prinnach fyth i'w cael ar lechwedd yr allt uwchben.[2]

Cyfeirio yr oedd J. Lloyd Williams at blanhigion fel y Dŵr-lyriad Nofiadwy *(Luronium natans)* a'r Caldrist Culddail *(Cephalanthera longifolia)* a oedd yn adnabyddus i fotanegwyr cyfarwydd â chynefinoedd Dyffryn Peris ers o leiaf ddechrau'r bedwaredd ganrif ar bymtheg. Mae'r llethrau coediog rhwng y Fachwen a Llyn Padarn yn gartref i sawl planhigyn diddorol a phrin ac yn gynefin delfrydol i'r botanegydd ei ymchwilio yn enwedig ar adegau pan fo amser yn brin gan nad ydyw'n golygu cymaint â hynny o waith cerdded i gyrraedd y lle. Yno hefyd y tyfai Pig yr Aran Rhuddgoch *(Geranium sanguineum),* Caldrist Llydanddail *(Epipactis helleborine)* â'r Biswydden *(Euonymus europaeus).* Ar 28 Gorffennaf 1890 llogodd J. Lloyd Williams gwch i archwilio glannau corsiog Llyn Padarn ymlaen o Ben-llyn ac ar fin-nos crwydrodd drwy goed yr Allt Wen lle gwelodd y Penrhudd *(Origanum vulgare)*, Berwr Taliesin *(Sedum telephium),* Eurwialen *(Solidago virgaurea)*, Briwydden Bêr *(Galium odoratum),* ac mewn glyn neilltuol Cegiden Bêr *(Myrrhis odorata)* a Rhosyn Draenllwyn *(Rosa pimpinellifolia)*. Disgrifiodd fân raeadrau'r Glyn fel y rhai prydferthaf a welodd erioed.[3]

Bu'r rheilffyrdd yn gaffaeliad mawr i naturiaethwyr amatur oes Victoria drwy ehangu maes eu hymchwiliadau a'u galluogi i dreulio mwy o amser allan yn archwilio'r cynefinoedd. Erbyn i J. Lloyd Williams ddechrau ennill ei fywoliaeth roedd y Chwyldro Diwydiannol ar ei anterth a chynyddai law yn llaw â'r diwydiant ymwelwyr. Manteisiwyd ar hyn gan y cwmnïau cyhoeddi a gwelwyd argraffu lliaws o lyfrau-tywys ar gyfer ymwelwyr, ambell un ohonynt wedi eu noddi gan y cwmnïau Rheilffyrdd. O edrych drwy gynnwys y llyfrau hyn gwelir penodau yn rhoi cyfarwyddiadau nid yn unig ar sut i ymweld â gwahanol atyniadau poblogaidd ond hefyd ar bynciau fel botaneg a daeareg, pynciau poblogaidd a oedd yn apelio at y dosbarth gweithiol yn ogystal â'r dosbarth canol. Yn argraffiad 1879 o'r *Gossiping Guide to Wales* ceir dwy erthygl gampus gan awduron profiadol yn disgrifio teithiau botanegol yn ardaloedd Abermaw a'r Wyddfa. Arferiad arall yn nheithlyfrau'r cyfnod oedd rhoi atodiad yn cynnwys detholiad o blanhigion ardal arbennig gyda manylion cyffredinol ynglŷn â safleoedd y rhywogaethau prinnaf. Yn ei lyfr ar blanhigion Môn ac Arfon *The Flora of Anglesey and Carnarvonshire,* neilltuodd John Edwards Griffith, Bangor, ddwy dudalen ar gyfer rhestru'r cynefinoedd a nodwyd gydag enw'r Orsaf Reilffordd agosaf wrth bob un.

Dywed J. Lloyd Williams yn ei hunangofiant[4] mai ar fore o Fai yr ymwelodd gyntaf â Chwm Llefrith, sef y cwm uchel sy'n gwahanu Moel Hebog a Moel yr Ogof gan arllwys ei ddyfroedd i Gwm Pennant cyn iddynt ymuno ag Afon Dwyfor ar ei ffordd i Fae Ceredigion. Ffurfiwyd clogwyni Moel yr Ogof allan o lafa hen losg-fynyddoedd Cymru gan ymdoddi â chregyn a thywod a sylweddau fferyllol eraill i ffurfio'r 'creigiau calchog' fel y rhai yng Nghwmglas Mawr a Chwm Idwal. Oherwydd cymysgedd eu cynnwys mae'r mannau hyn yn gynefinoedd ffrwythlon i amrywiaeth o blanhigion ac fe'u nodir ar y mapiau daeareg. Mae'n debyg mai o edrych ar y mapiau hyn y daeth J. Lloyd Williams i wybod am y rhanbarth cyfoethog hwn ar gadwyn mynyddoedd Moel Hebog. Roedd mannau clasurol eraill Eryri fel Cwm Idwal, Clogwyn y Garnedd, Cwmglas Mawr a Chwmglas Bach, Ysgolion Duon a Chlogwyn Du'r Arddu eisoes yn wybyddus i fotanegwyr ers yr ail ganrif ar bymtheg ond ni cheir sôn gan Edward Lhuyd na'r un o'i gydoeswyr am chwilota Cwm Llefrith a Moel yr Ogof. Yma yn y flwyddyn 1887 y daeth J. Lloyd Williams o hyd i'r Llugwe Fawr *(Trichomanes speciosum),* y 'Killarney Fern', rhedynen hynod o brin ag iddi ryw naws chwedlonol yn ystod oes Victoria yn dilyn yr adroddiadau amwys am ei safleoedd cyfrinachol gan y gymdeithas fotanegol. Roedd yn ddarganfyddiad cyffrous a sbardunodd lawer o gyffro ar adeg pan oedd cryn gystadlu ymysg y casglwyr ffasiynol yn ogystal â'r botanegwyr hynny a ganolbwyntiai eu hymdrechion ar ffurfio Herbariwm cyflawn.

Tra roedd yn chwilota'r cwm tynnwyd sylw J. Lloyd Williams at redynen Tafod yr Hydd *(Asplenium scolopendrium)* a dyfai ar glogwyn gweddol uchel. Hoffai'r rhedynen hon dir gweddol gyfoethog a dringodd ati i gael gwell golwg arni. Wrth ei hymyl a thu cefn i dyfiant o redyn cyffredin roedd ogof fechan laith ac ynddi gwelodd ffrondiau o redynen nas gwelodd erioed o'r blaen yn gorchuddio'r ochrau a'r nenfwd. Cymerodd rai ohonynt ac aeth â hwynt adref ar ddiwedd y dydd er mwyn eu hastudio'n fanylach drwy ymgynghoriad â'r *Flora* pwrpasol. Daeth i'r casgliad ei fod wedi darganfod un o redynau prinnaf Cymru, onid Lloegr, yr Alban ac Iwerddon hefyd. Hysbysebwyd y darganfyddiad yn y cylchgrawn *Journal of Botany*:

> In July last I found a very good specimen of Trichomanes radicans growing in a damp hole near the top of a range of mountains. Not knowing the locality in which this fern was discovered before I cannot guarantee but that this one is identical with it, and for the same reason as that which induced the locality reported in 1865 [1863 oedd y dyddiad swyddogol fel y gweler isod] to be kept secret, I must take the same precaution in this case. I may state, however, that it was not found on any part of Snowdon. I took a small portion of the fern and planted it, but left the greater part of it behind.[5]

Trichomanes radicans oedd enw gwyddonol y Llugwe Fawr yn adeg J. Lloyd Williams ond erbyn hyn gelwir hi'n *T. speciosum* yn dilyn canlyniadau astudiaethau diweddarach gan wyddonwyr i'r genws *Trichomanes.* Mae dau enw Saesneg i'r redynen, sef *Killarney Fern,* am mai safleoedd yn Ne-Orllewin Iwerddon yw ei chadarnle, a *Bristle Fern,* oherwydd y colyn sydd ar flaen y sorws, sef y llestr sy'n gwarchod y sborau. Y ffurfiau Cymraeg ar yr enw yw Rhedynen Wrychog a Rhedyn Gwrychog.

Darganfuwyd y Llugwe Fawr am y tro cyntaf ym Mhrydain gan y Dr. Richard Richardson (1663-1741), cyfaill Edward Lhuyd, mewn safle gerllaw Bingley yn Swydd Efrog. Cyhoeddwyd y darganfyddiad hwn yn *Synopsis Methodica Stirpium Britannicarum* (1727) John Ray. Darganfuwyd hi am y tro cyntaf yn Eryri gan J. F. Rowbotham o Fanceinion yn 1863. Ni ddatgelwyd y safle ar wahân i ddweud mai yn rhywle ar Yr Wyddfa y tyfai. Cyhoeddwyd y disgrifiad canlynol o'r safle yn rhifyn 1 o'r *Journal of Botany* yn 1863:

> I found it in a large hole formed by fallen rocks alongside a cascade of water; and admission to this hole, which is about five feet by four feet wide, is obstructed after a depth of about three feet by this fern falling from the rocks at the top, and growing out of the sides in the form of a beautiful curtain, down which the water is constantly trickling; the whole having much the appearance of a crystal screen.[6]

O gymharu maint ffrondiau Rowbotham ceir eu bod yn cymharu'n ffafriol â'r goreuon yn Iwerddon ac un ohonynt yn mesur 22 modfedd o hyd. Ni ddarganfuwyd y safle hon ar Yr Wyddfa wedyn, hyd y gwyddys.

Ym mis Gorffennaf y darganfu J. Lloyd Williams y Llugwe Fawr yng Nghwm Llefrith yn ôl yr adroddiad yn y cylchgrawn botanegol (gweler uchod: *Journal of Botany* 1887) ond o ddarllen yr hanes yn ei hunangofiant ceir mai ym mis Mai y digwyddodd hyn. Yn y rhan hon o'r bennod ar yr hanes enwa hefyd y gwahanol redynau a welodd yno ar y pryd. Ceir cadarnhad o'r dyddiad yn ei nodlyfr dyddiedig 30 Mai 1887 lle dywed iddo godi am 5:30 y.b., paratoi picnic ar gyfer ymweliad â Chwm Llefrith, a cherdded yno o'r Garn dros Fwlch y Bedol yng nghwmni ei dad, Dic, William, Hugh a [?]. Yn dilyn y gwledda ar fara menyn, corn biff, wyau wedi'u berwi'n galed, a dŵr dywed: 'Then [?] Wm Dick F and I went to visit the Killarney Fern & found it all right'. Felly, o ddweud mai mynd i weld y rhedynen yr oedd yn hytrach na'i darganfod am y tro cyntaf, gwyddai am safle'r Llugwe Fawr yng Nghwm Llefrith o leiaf ddeufis ynghynt na'r dyddiad a gyhoeddwyd yn y *Journal of Botany.*

Eithr nid dyna ddiwedd hynt a helynt y rhedynen hon yn safle newydd J. Lloyd Williams yng Nghwm Llefrith. Yn ôl ei hunangofiant pan aeth drachefn i ymweld â'r lle doedd dim sôn am yr un ddeilen ohoni; roedd rhywun wedi bod yno ac wedi crafu'r cyfan o'r gwraidd – arferiad cymharol gyffredin yn ystod cyfnod chwiw casglu rhedyn oes Victoria. Gwyddai J. Lloyd Williams enw'r 'rheibiwr' ond ni chyhoeddodd ef am ei fod bellach wedi marw, ond os oedd hwnnw wedi gobeithio gwneud elw o'r rhedyn ei siomi a gafodd. Mae'n rhaid i'r Llugwe Fawr gael cyflenwad parhaus o wlybaniaeth ac nid yw'n hoffi gormod o olau dydd a dyna pam y mae'n ffafrio safleoedd fel ogofâu llaith tu ôl i raeadrau. Pan

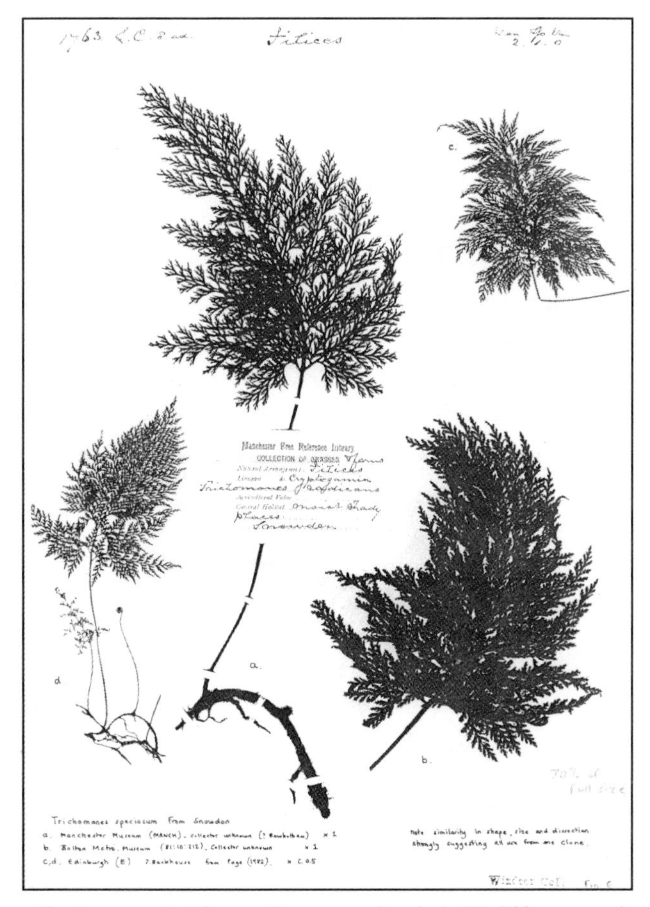

Sbesimenau o'r Llugwe Fawr a gasglwyd o'r Wyddfa yn ystod y 19 ganrif ar gadw yn Amgueddfa Manceinion.
Llun: Drwy garedigrwydd Dr. F. Rumsey

ddychwelodd y 'rheibiwr' adref gyda'i gyflenwad rhedyn mae'n debyg fod y cyfan wedi sychu a marw ac na chafodd yr un ddimai am ei drafferth.

Tystia J. Lloyd Williams yn ei hunangofiant iddo ddychwelyd i Gwm Llefrith droeon er mwyn gweld a oedd y Llugwe Fawr wedi aildyfu yno ond ni welodd olwg arni cyn iddo ymadael â'r Garn yn 1893, eithr wrth barhau gyda'r hanes sylwer iddo gam-gofio'r flwyddyn pan ail-ymddangosodd y Llugwe Fawr yn ei hen gynefin. Ymhen pedair blynedd ar hugain (1917) yr oedd yn Bennaeth Adran Botaneg yng Ngholeg Aberystwyth ac nid ym Mangor fel y dywed:

Tua phedair blynedd ar hugain yn ddiweddarach, a minnau ar y pryd ar staff Coleg y Brifysgol, Bangor, yr oeddwn yn mwynhau rhan o wyliau'r haf yng Nghricieth. Yno daeth Rheolwr un o'r banciau ataf a dweud bod clerigwr o Lundain o'r enw Mr. Hill yn teimlo diddordeb mawr mewn rhedyn ac yn dymuno fy nghyfarfod. Hoffais ddull agored a siriol Mr. Hill ac yr oedd ei ddiddordeb mewn rhedyn yn ddiamheuol. Wedi sgwrs fywiog am y rhedynen hon a'r llall, yn enwedig y rhai prin: ebr Hill yn sydyn, *"Did you ever come across the chap who discovered Trichomanes* [Llugwe Fawr] *in this part of the world?" "Oh yes"* atebais, *"I knew him well."* Llonnodd Hill yn fawr a gofyn, *"Where could one find him I wonder?" "Here"* atebais, a dyna'r diddordeb yn fwy fyth. Diwedd yr ymddiddan oedd trefnu taith i Gwm Llefrith – nid i weld y *Trichomanes* – yr oedd honno wedi ei rheibio ers dros ugain mlynedd, ond i weld y rhedyn eraill a oedd yn yr hen gwm.[7]

Pan ddaeth y diwrnod a drefnwyd ar gyfer y daith i Gwm Llefrith roedd J. Lloyd Williams wedi cyrraedd y man cyfarfod hanner awr o flaen Hill a'i gwmni. Yng nghwrs yr hanner awr honno o ran ymyrraeth brysiodd i fyny'r mynydd at safle'r Llugwe Fawr ac er ei fawr fwynhad gwelodd bod y rhedynen brin wedi aildyfu yn ei hen gynefin. Cymerodd un ffrond ac aeth i lawr yn ôl i gyfarfod y lleill. Dangosodd y ddeilen iddynt ond ni ddatgelodd y safle, ac er iddynt chwilota drwy'r dydd ni lwyddodd unrhyw un o'r lleill i'w darganfod. Dyfynnir isod y cofnod o nodlyfr J. Lloyd Williams sy'n dangos mai ar y seithfed o Fedi 1922 y gwnaeth yr ail-ddarganfyddiad:

Sept. 7 '22 Moel yr Ogo'

Co Davies Bank, Gwilym & Caradoc his brother: Rev. Hill & two of his sons. The three latter had cycled from Talysarnau, the three first drove in a trap from Cric' to Cwrt Isa [Cwm Pennant] & I was taken up as far as the Chapel House by Ger in the sidecar. The scenery of lower valley with its trees and rocks and crystal river is more beautiful than any memory of it. I cut across the boggy land and made straight for the Moel Hebog side ... In the old locality I found to my great joy that *Trichomanes radicans* [Llugwe Fawr] had come up again – there was a longish rhyzome with 5 or 6 fronds each nearly as big as a hand. This is very remarkable when it is remembered that for long years (the first find was 35 years ago) there was no sign of the plant after the original had been uprooted and carried away.[8]

Tynnwyd sylw at anghysondeb arall ynglŷn â'r hanes mewn erthygl gan R. H. Roberts, Bangor,[9] lle dywed fod sbesimen o'r Llugwe Fawr wedi ei chasglu o Gwm Llefrith gan J. E. Griffith, Bangor, yn ystod Gorffennaf 1891 ar gadw yn Amgueddfeydd ac Orielau Cenedlaethol Cymru, Caerdydd. Awgryma hyn bod J. Lloyd Williams yn anghywir pan ddywed nad oedd y rhedyn wedi aildyfu yn y cwm rhwng 1887 ac 1893. Mae'n rhaid nad oedd J. Lloyd Williams bob amser yn edrych ar ei nodlyfr tra'n ysgrifennu ei hunangofiant ond rhaid cofio ei fod mewn gwth o oedran erbyn hynny ac mai diffyg cof sydd i gyfrif am yr anghysonderau hyn.

Cyhoeddwyd y darganfyddiad gan J. E. Griffith yn ei *Flora of Anglesey and Carnarvonshire* ac fel J. Lloyd Williams mae'n hepgor unrhyw fanylion ynglŷn â'r safle:

> I have seen this fern growing, undoubtedly wild, in one place only. This was first found by Mr. J. Lloyd Williams. I refrain from giving the locality as it is so rare![10]

Bu'r Victoriaid mor llwyddiannus yn cadw'r gyfrinach fel na lwyddodd yr un botanegydd o'r cenedlaethau dilynol i ddod o hyd i'r safle hyd at 1967 pan ddaeth G. M. Hughes, a oedd ar y pryd yn heddwas ym Meddgelert, ar ei thraws yn ddamweiniol tra'n chwilio am fwsogl. Ymddengys hyn fel ateb i'r sialens a osodwyd y flwyddyn gynt gan W. M. Condry yn ei lyfr *The Snowdonia National Park:*

> I unrolled my sleeping-bag by a murmuring stream [yng Nghwm Llefrith] and went to sleep … thinking of the botanist J. Lloyd Williams who, when a young schoolmaster here years ago, found the Killarney Fern, Snowdonia's rarest species … It has not been seen since because the precise locality was never recorded; but it probably grows there still in the spray and shade behind some little waterfall. So there is a challenge![11]

Ynghlwm wrth y ddolen Herbariwm yng Nghaerdydd lle gosodwyd sbesimen y Llugwe Fawr a gasglodd J. E. Griffith yng Nghwm Llefrith yn 1891 ceir y nodyn canlynol:

> Trichomanes radicans; Seen on Garn Dolbenmaen, Moel Hebog, by A. H. Trow in the company of J. Lloyd Williams: fronds described as

being two feet long. Date not stated. Recorded from conversation. 1st December 1937. H. A. Hyde.[12]

Llofnodwyd y nodyn gan yr Athro Harold Augustus Hyde, Ceidwad Adran Botaneg Amgueddfa Genedlaethol Cymru o 1922 hyd at 1962. Nid yw'r nodyn ynddo'i hun yn cyfleu dim byd arbennig hyd nes yr ystyrir maint y ffrond a gasglwyd yng Nghwm Llefrith gan J. E. Griffith a'r ffrondiau dwy droedfedd a grybwyllir gan Hyde. Yn sicr, nid yn yr hen safle yng Nghwm Llefrith y gwelodd Trow a J. Lloyd Williams y rhai a gofnodir yn nodyn Hyde. Mae hyn yn awgrymu bodolaeth safle nas datgelwyd ganddynt. Tybed a oes allwedd i'r dirgelwch yn y nodyn a anfonodd J. Lloyd Williams i'r *Journal of Botany* pan gyhoeddwyd ei ddarganfyddiad, lle mae'n dweud: 'I took a small portion of the fern and planted it ...' Mae'n debyg na chawn byth wybod p'run ai ei phlannu rywle arall allan ar y mynydd, ynteu ceisio ei meithrin gartref a wnaeth.

Dyfnhau mae'r dirgelwch o ddarllen ysgrif a ymddangosodd yn *Cymru*[13] gan 'Caerwyson', sef Thomas Pritchard Edwards (a fu'n weinidog gyda'r Wesleaid ym Mlaenau Ffestiniog ac yn olygydd *Y Rhedegydd* o 1899 hyd at 1906) pan ddywed iddo yntau ddod ar draws safle'r Llugwe Fawr yng Nghwm Llefrith ryw ddeufis cyn J. Lloyd Williams. Mae disgrifiad Caerwyson o'r safle yn cyfateb i'r un a geir gan J. Lloyd Williams ym mhedwaredd gyfrol ei hunangofiant ac mae'n rhaid ei dderbyn fel un cywir gan iddo ei gyhoeddi bedair blynedd ar hugain cyn J. Lloyd Williams. Rhyfedd na sonnir gair am Gaerwyson wrth drafod stori'r Llugwe Fawr yn yr hunangofiant, er i Gaerwyson ddweud yn *Cymru* fel y bu iddo gael sgwrs gyda J. Lloyd Williams mewn eisteddfod ychydig wedi'r digwyddiad ac i'r peth gael ei drafod gan y ddau. Yn ystod y sgwrs honno datgelir bod Caerwyson wedi gofyn i J. Lloyd Williams a oedd J. E. Griffith wedi gweld y Llugwe Fawr yn tyfu yn rhywle yn yr hen Sir Gaernarfon, a'r ateb oedd: 'Naddo, ... y fi a ddywedodd wrtho lle yr *oedd* rhai yn tyfu, ond ni welodd ef y lle erioed.' Os gwir hyn o ble y cafodd J. E. Griffith y sbesimen sydd ar gadw yng Nghaerdydd?

Hyd yn hyn ni lwyddwyd i daflu goleuni ar ddirgelwch Llugwe Fawr Cwm Llefrith. Ai J. Lloyd Williams ynteu Caerwyson oedd y gwir ddarganfyddwr cyntaf a beth a olygai nodyn Hyde? Yn ôl yr hyn a gofnodwyd gan J. Lloyd Williams yn un o'i nodlyfrau gwyddom iddo fod allan yng nghwmni Caerwyson yn llysieua ar 16 Mawrth 1900 a dyma'r hyn a ddywed: 'What a curious character C. is. A failed Indep. Preacher – but a born naturalist who tramps all over the hills.' Yn ei erthygl ar redyn yn *Cymru* mae Caerwyson yn honni ei fod yn F.L.S., (Cymrawd o'r Gymdeithas Linneaidd), ond mewn ateb i lythyr at y Gymdeithas i ymofyn cadarnhad ymddengys nad oes sail i'r honiad.

Mae'r parthau mynyddig yn Eifionydd lle gwnaeth J. Lloyd Williams ei ddarganfyddiadau erbyn hyn dan warchodaeth deddf gwlad ond nid felly yr oedd pethau yr adeg honno. Ar dalcen serth o glogwyn sy'n wynebu tua'r dwyrain mae agen lorweddol a nodir ar fap yr O.S. fel 'Ogof Owain Glyndwr' a chwter o bobtu iddi. Yn dilyn ymweliadau cynharaf J. Lloyd Williams â'r safle darganfuwyd asbestos yn un o'r cwterydd hyn a chan fod y safle bryd hynny yn gartref i blanhigion fel y Gor-redynen Hirgul *(Woodsia ilvensis),* Tormaen yr Eira *(Saxifraga nivalis)* a'r Gelynredynen *(Polystichum lonchitis)* datganodd ei bryder ynglŷn â'u dyfodol yn ei hunangofiant. Yn ffodus ni ddatblygwyd y gloddfa fwy nag un agoriad o ychydig lathenni i grombil y graig: 'nid oes wybod faint o blanhigion diddorol gariwyd ymaith gan y gweithwyr', meddai, ond mae'n rhaid nad oedd wedi ymgynghori â'i nodlyfr y tro hwn ychwaith oherwydd roedd ganddo gofnod yn hwnnw am ymweliad â'r union safle wedyn yn 1922 pryd yr ail-ddarganfuwyd y Llugwe Fawr. Dywed iddo weld y Gor-redynen Hirgul yno bryd hynny ond nad oedd sôn am Dormaen yr Eira na'r Gelynredynen. Mae'n ddiddorol sylwi bod Tormaen yr Eira wedi ei gweld yn y safle hon yn 1986 ond nid wedyn a bod mwy nag un planhigyn o'r Gelynredynen yn parhau i ffynnu ar glogwyni Moel yr Ogof.

Bu'r flwyddyn 1887 yn un lwyddiannus i J. Lloyd Williams fel botanegydd maes ac mae'n debyg fod ei ddarganfyddiad yng Nghwm Llefrith wedi ei sbarduno i chwilota am fwy o'r planhigion y mae Gogledd-Orllewin Cymru yn enwog amdanynt.

Toc wedi chwech o'r gloch ar fore'r 11 Mehefin 1887 cychwynnodd gerdded o Fethesda i fyny Nant Ffrancon gyda'i ysgrepan ar ei gefn tra canai'r adar mân yn y coed ger y ffordd. Ym mhen ucha'r Nant lleihaodd nifer y coed, lledodd gwaelod y dyffryn gwastad a chlywodd alwad Mwyalchen y Mynydd yn hytrach na'r Fronfraith a Chnocell y Coed. Dringodd ochr welltog y mynydd ac o frig y gefnen amgrom gwelai Lyn Idwal yn ymestyn o'i flaen. Gwelodd y Tormaen Serennog *(Saxifraga stellaris)* tra'n ymlwybro gyda godre'r nant wyllt a lifai o Gwm Clyd i Lyn

Idwal a orweddai yng nghysgod tyrrau cadarn y ddwy Glyder a'r Garn. Mae'r llwybr caregog sy'n cydredeg gyda'r nant o Gwm Idwal i Gwm Clyd yn serth a blin ac yng ngeiriau J. Lloyd Williams yn: 'exceedingly steep – sometimes almost dangerous.' Ar y ffordd i fyny gwelodd Dresgl y Moch *(Potentilla erecta)*, Tafod y Gors *(Pinguicula vulgaris)* a'r Gwiolydd Cyffredin *(Viola riviniana)* tra gwibiai'r Ehedydd Bach o garreg i lwyn. Yn y ceunant gwelodd Suran y Mynydd *(Oxyria digyna)*, Suran y Coed *(Oxalis acetosella)*, Arianllys y Mynydd *(Thalictrum alpinum)* a Phren y Ddannoedd *(Sedum rosea)*. Fel y dringai'n uwch cynyddai amrywiaeth y llystyfiant; Tormaen Llydandroed *(Saxifraga hypnoides)*, Llwylys Cyffredin *(Cochlearia officinalis)*, Rhedyn Persli *(Cryptogramma crispa)*, a Rhedynen y Graig *(Phegopteris connectilis)*, a rhyfeddodd o sylwi ar Lygad Ebrill *(Ranunculus ficaria)* yn parhau'n flodeuog mor uchel a hwyr yn y flwyddyn. Yn ôl arferiad yr oes cynyddai'r casgliad yn y fasgwlwm, sef y tun casglu a luniwyd yn bwrpasol at y gwaith. Cariai pob botanegydd fasgwlwm bryd hynny ac yn ogystal â bod yn biser ar gyfer cadw'r helfa blanhigion roedd hefyd yn symbol o adnabyddiaeth rhwng un botanegydd a'r llall allan yn y maes. Roedd fel bathodyn iddynt a bu'n gyfrwng sawl tro i wahodd cyflwyniad ac i annog ymgom a thrafodaeth a allai arwain at ddatblygu cyfeillgarwch oesol o lythyru a threfnu ymdeithiau pellach. Ceir cadarnhad i hyn mewn llythyr dyddiedig 25 Medi 1907 oddi wrth Cecil Prescott Hurst (m. 1956) wedi ei anfon at J. Lloyd Williams o Westy Ben Lawers yn yr Alban:

> I daresay you will remember meeting me last June half way down Cwm Clyd near the Devil's Kitchen when you kindly gave me a specimen of Lloydia. I beg to enclose Cherleia sedoides [Eilun Briweg] perhaps the most interesting plant of this rich and interesting range of mountains.[14]

Cafniwyd Cwm Clyd allan o ochr ddwyreiniol y Garn yn ystod oes y rhew olaf tua 10,000 o flynyddoedd yn ôl gan adael llyn bychan a phwll bas i sefyll ar tua 2,200 o droedfeddi uwchlaw arwynebedd y môr. O edrych tua'r dwyrain o'r cwm ceir golygfeydd dramatig o Benyrolewen, Tryfan a'r Glyder sy'n cysgodi llynnoedd Idwal ac Ogwen. Dilynodd J. Lloyd Williams y nant i'w tharddiad ac yno yng ngwlybaniaeth gwyrdd y mwsogl gwelodd ddigonedd o'r Eglyn *(Chrysosplenium oppositifolium)* a phlanhigion cysylltiol fel Sbigfrwynen y Gors *(Eleocharis palustris)* a Blodyn y Gog *(Cardamine pratensis)*.

87

June 11th — Y Garn.

Taking another path I managed to reach the foot of the cliff. The cliff I had seen from below was high & deep, the bottom being full of Woodrush. I managed by its aid to hoist myself into the cavity, but found nothing there except woodrush & wood sorrel. Feeling disappointed at the result of so much toil & exertion I went on, when I could see in a crevice above me a little white* flower. I at once threw down my knapsack and began climbing up the face of the cliff but soon came to a full stop when a little more than arm's length from the plant. Taking my trowel I manage to flake off a large flat cake of rock which formed the side of the crevice in which the plant grew, exposing bulbs & strong root flattened against the rock. I was now able to scrape off the plant & recognized it at once as the very rare Spiderwort. In the same cliff I found plenty of Thrift also, so that my climb was not fruitless after all. Beech Ferns grew here but they were all dwarf, & yellowish.

I now came to the side of Y Garn overhanging Idwal. Of this it is difficult to give a correct description. It is an awful wilderness of angular rocks, stones & pillars, with their points in all directions, the rocks loosening into deep chasms & the steep slopes between the rocks covered with loose stones

*Lloydia

87

June 11 — Idwal.

Through this wilderness I made my way to the little stream to the right of the Kitchen rocks. & after lunching I made my way along the base of the rocks towards Twll Du. Unfortunately my time was getting short, so I had no time to minutely examine them but I could see that they were covd with plants amongst which were, Oxyria, Moss campion, Purple saxifrage, Alchemilla, Lotus, Viola, wood anemone (still in flower) Roseroot, Bladder fern, Green spleenwort, Common maidenhair &c. &c. Taking a last look on the crags of y Garn over which a pair of Ravens were now wheeling I went up the rocks of Idwal as fast as I could, crossed over to the upper end of Twll Du, then followed the little stream till I came to Clogwyn Cwm. Wishing I had time to explore the side of Glyder for rare plants & the banks of the lake & bogs for Cyperaceae I hurried on over the smooth springy turf till I suddenly came in view of Snowdon stretching its long rugged flank from Pen y Pass to Llanberis. The view was superb, then more to the right the Mts. opened so as to show the panorama of the Straits & Anglesey spread out, while near at hand at my ft lay the beautiful lakes of Llanberis.

Llawysgrif J. Lloyd Williams o'i nodlyfr.
Llun: Ll.G.C., Casgliad J. Lloyd Williams, Eitem 143.

Am hanner awr wedi un ar ddeg arhosodd i gael ei ginio ac yn dilyn yr egwyl wrth ddringo braich y Garn at odre'r clogwyni sylwodd ar glustog o dyfiant rhuddgoch ychydig bellter oddi tano ac wedi sgrialu yn nes ato fe'i hadnabu fel y Gludlys Mwsoglyd *(Silene acaulis)*. Cyrhaeddodd at silff a oedd yn llawn tyfiant yn uwch i fyny ar y graig ac mae hanes ei ddringfa anturus o'r fan honno ymlaen pryd y gwelodd Lili'r Wyddfa am y tro cyntaf yn werth ei ddyfynnu:

> From this point I had a terrible scramble. First of all I had to go down for I had managed to get into an awkward place then I had to climb up a very steep slope with loose stones to try & reach a steep cliff in the face of which I could see a likely cavity for plants. With great pains and some danger I managed to reach to within abt 50 yds to the ft of the precipice & began to climb gingerly over an uninteresting patch of steep slippery rock when my opera glasses fell out of my pocket and began jumping from point to point down the slope in the most daring and reckless manner. To swear w[d] have been

> a comfort – as it was, there was nothing to be done but to retrace my steps all the way down the slope. After this to reascend with a heavy knapsack on my back and under a broiling sun was no joke. Perhaps though it was quite as well – for the way I tried was a very dangerous one. Taking another path I managed to reach the foot of the cliff. The cleft I had seen from below was high & deep, the bottom being full of Woodrush. I managed by its aid to hoist myself into the cavity, but found nothing there except Woodrush and Woodsorrel. Feeling disappointed at the result of so much toil & exertion I went on, when I could see in a crevice above me a little white flower. I at once threw down my knapsack, and began climbing up the face but I soon came to a full stop when a little more than an arm's length from the plant. Taking my trowel I managed to flake off a large flat cake of rock which formed the side of the crevice which the plant grew, exposing bulbs and fibrous roots flattened against the rock. I was now able to scrape off the plant & recognized it at once as the very rare spiderwort [Lili'r Wyddfa] … so that my climb was not fruitless after all.[15]

Adwaenir y 'Spiderwort' fel 'Snowdon Lily' bellach ond pan ddarganfuwyd y planhigyn am y tro cyntaf yn Eryri gan Edward Lhuyd yn ystod yr ail ganrif ar bymtheg yr enw gwyddonol cyntaf arno oedd *Bulbosa juncifolia*; fe'i newidiwyd i *Anthericum serotinum* gan Linnaeus. Ymhellach sylweddolwyd bod digon o nodweddion gwahaniaethol yn y lili fach i deilyngu ffurfio genws newydd a phenderfynwyd anrhydeddu'r darganfyddwr drwy ei galw yn *Lloydia serotina.* Nid yw'n tyfu'n wyllt yn unman arall ym Mhrydain ond mae'n doreithiog ar lethrau heulog porfeydd gwelltog yr Alpau. Y ddamcaniaeth fwyaf tebygol ynglŷn â phresenoldeb y lili yn Eryri yw iddi, yn dilyn distyll yr oes rew ddiwethaf, fethu â chyrraedd ymhellach i'r gogledd ym Mhrydain na Chymru cyn i'r hinsawdd ddechrau cynhesu.

Mae'n ddiddorol sylwi fod sbienddrych opera yn rhan o gyfarpar botanegydd yn yr oes honno. Pan mewn cwter gyfyng yn ceisio cael golwg gliriach ar blanhigyn nas gellir ei gyrraedd byddai teclyn o'r fath yn hanfodol ar gyfer y gwaith.

Gan fod y dydd yn hwyrhau prysurodd J. Lloyd Williams i lawr o ysgwydd y Garn drwy'r chwydfa garegog nes cyrraedd gwaelod agen y Twll

Du. O'r fan hon rhaid oedd dilyn Llwybr y Carw nes cyrraedd y gwastadedd ger Llyn y Cŵn ac oddi yno lawr y llethrau i gyfeiriad Llanberis er mwyn dal y trên am adref.

Roedd cynnal teithiau cyffelyb yn rhan o batrwm bywyd botanegyddmaes bryd hynny ac wrth brysuro i lawr llethrau gorllewinol y Garn sylwodd J. Lloyd Williams ar gymoedd cyfoethog Yr Wyddfa gyferbyn ac edrychai mlaen at gael eu harchwilio am blanhigion prin pan ddeuai'r cyfle.

Daeth y cyfle hwnnw yn ystod mis Gorffennaf 1890 pan ymwelodd â Chlogwyn Du'r Arddu, Clogwyn y Garnedd a Chwmglas Mawr, y safleoedd clasurol mwyaf ffrwythlon am blanhigion yn Eryri. Yn ystod ei ymweliad â Chlogwyn Du'r Arddu ar yr 22 o'r mis gwelodd Ferwr y Cerrig *(Arabis petraea)* yn yr union safle ag y'i gwelwyd gan y cofnodydd cynnar Thomas Johnson yr apothecari yn ystod ei ymweliad â Chymru yn 1639. Ar yr un clogwyn hefyd daeth J. Lloyd Williams ar draws planhigyn a achosodd gryn benbleth iddo. Blodyn o deulu'r *Cerastium* oedd hwn, Clust y Llygoden yn Gymraeg. Nododd hwn fel 'Cerastium latifolium or alpinum?' Ceir eglurhad pellach ynglŷn â'r dryswch gan J. E. Griffith yn ei *Flora of Anglesey and Carnarvonshire* lle mae'r awdur yn datgan i sbesimen ohono gael ei anfon at arbenigwr er mwyn datrys y broblem:

> I always took this to be *C. latifolium Sm.,* till Rev. A. Ley had it determined, through Mr. A. Bennett, by Dr. Lange. See J. of B., p. 373, 1887.[16]

Cyhoeddwyd barn Lange mai *Cerastium arcticum* (Clust Llygoden Mynyddig Llydanddail) oedd y blodyn dair blynedd cyn ymweliad J. Lloyd Williams â Chlogwyn Du'r Arddu.

Tra'n chwilota'r sgri uwchlaw Llyn Du'r Arddu daeth hefyd ar draws dwy redynen ddiddorol. Enwa'r gyntaf yn Ffiolredynen Alpaidd *(Cystopteris alpina)* gan egluro bod y gwahaniaeth rhyngddi a'r math cyffredin, sef y Ffiolredynen Ddeintiog *(Cystopteris fragilis),* i'w weld yn blaen o edrych ar batrwm y gwythiennau sydd i'w gweld yn fwy tryloyw o'u dal yn erbyn y golau. Cynhwysodd J. E. Griffith y *C. alpina* yn ei *Flora* gan enwi Cwm Idwal a Chwmglas fel y mannau lle'i gwelodd yn tyfu ond parodd hyn gryn ddryswch i fotanegwyr o genhedlaeth ddiweddarach gan mai digon amwys oedd disgrifiad y *C. alpina* dan ei henw arall *Cystopteris regia* yn ail argraffiad *Welsh Ferns* (1948). Gan nad oedd gobaith cael golwg ar sbesimen o'r Ffiolredynen Alpaidd y soniai J. Lloyd Williams a J. E. Griffith amdani y canlyniad fu, yn ôl un botanegydd cyfoes,[17] cytuno â datganiad Edward Step yn ei lyfr *Wayside and Woodland Ferns* (1908) nad oedd digon o wahaniaeth rhyngddi a'r Ffiolredynen Ddeintiog gyffredin i hawlio enw ar wahân.

Anfarwolwyd Clogwyn Du'r Arddu fel un o ddringfeydd clasurol yr Ynysoedd Prydeinig gan Joe Brown a Don Whillans yn ystod blynyddoedd canol y ganrif ddiwethaf a chofnodwyd datblygiad y dringo ar y clogwyn hwn mewn cyfrol o'r teitl *The Black Cliff* (1971) gan Ken Wilson a Peter Crew. Prif nod y dringwr yw cyflawni dringfa er mwyn profi gwefr arbennig ond er mwyn cael golwg ar y planhigion sy'n tyfu mewn cwterydd ac mewn rhigolau ar wyneb craig y dringa'r botanegydd. I'r perwyl hwnnw yr ymwelodd J. Lloyd Williams a'i gyfaill D. A. Jones â Chlogwyn Du'r Arddu.

Yn enedigol o Lerpwl bu Daniel Angell Jones (1861-1936) yn ysgolfeistr yn Machynlleth a Harlech ac er na dderbyniodd addysg swyddogol mewn botaneg erioed fe'i cymhwysodd ei hun i ddod yn arbenigwr cydnabyddedig ymysg gwyddonwyr ar fwsogl ac fel J. Lloyd Williams roedd yn arbenigwr ar lystyfiant Eryri. Mae'r gallu i ddringo o gymorth i'r botanegydd-maes ac fel hyn y tystiodd J. Lloyd Williams i alluoedd Dan Jones fel dringwr:

> Ym mynyddoedd Eryri yr oedd yn un o'r dringwyr diogelaf ei droed a'i ben a welais erioed. Ac ni byddem ein dau byth yn defnyddio rhaff, oblegid nid dringo er mwyn y gamp y byddem, ond i chwilota am blanhigion diddorol neu anghyffredin.[18]

Yng nghyflwyniad ei gyfrol hynod ddiddorol *British Botanists* (1944) dywed John Gilmour: 'Botany is perhaps the least sensational of sciences'. Efallai bod hynny'n wir os yw'r cynefin a archwilir yn weddol wastad ond nid felly glogwyni Eryri. O blith botanegwyr-maes y cyfnod ychydig iawn oedd hefyd yn ddringwyr, ac eithriadau oedd A. H. Trow a John Bretland Farmer yr ymdrinir â hwy ymhellach ymlaen. Er na chariai J. Lloyd Williams a Dan Jones raffau ar gyfer goresgyn clogwyni serth roedd y ddau yn hen gyfarwydd â dringo rhydd, 'free climbing' fel y dywed y dringwr cyfoes. Ceir disgrifiad manwl o'r math o ddringo hwn yn nodlyfrau J. Lloyd Williams a dyma enghraifft a gofnododd o'i orchest ar wyneb clogwyn gogleddol y Glyder Fawr ar 4 Gorffennaf 1889:

The steep slope of stony debris soon came to an end & I came to the bare rock. From below these looked unclimbable but I determined to have a try at them. The cliffs seemed to be built of huge blocks laid on end with vertical grooves & occasional short ledges ... Before long the rock became so steep & smoother that I had to take off my heavy boots & tie the laces together so as to throw my boots over my shoulder & climb by means of the tennis shoes which gripped the rock much better. Still it was tough work; tougher on account of the bag, the shoes & the stick I had to carry.[19]

D. A. Jones (1861 – 1936)
Llun: Amgueddfeydd ac Orielau Cenedlaethol Cymru

Cyrhaeddodd J. Lloyd Williams a Dan Jones odre Clogwyn Du'r Arddu ar fore 24 Mehefin 1893 mewn niwl tew a chawodydd o law a dechreuasant chwilota'r creigiau:

Jones went up the main gully while I took a side one. When I finished my own Jones had disappeared in the mist. On trying to follow him a lot of stones came pelting down and I had great difficulty in dodging them. Later on I tried again to ascend the chimney as I could hear nothing of my companion. I had climbed about 30 feet when I could hear an avalanche coming. There was no possibility of dodging now as the place was too narrow and all the stones would have to come through the groove in which I was. I rushed upwards and flattened myself against a slightly rising crag, the next instant the stones began to pelt around, one hitting the edge of the rock just above my head, others just clearing my feet. As soon as a lull occurred I rushed headlong down without any care as to footing to get out of the way of the cannonade. When Jones came down he reported a great wealth of plants and particularly a hollow containing 6 or 7 holly ferns, Meconopsis [Pabi Cymreig] filmy fern etc. He had been to some dangerous places but had come off with only the tail of his Ulster torn by stones dislodged.[20]

Ceir adroddiad am ddigwyddiad cyffelyb pan fu'r ddau fotanegydd yn archwilio clogwyni Cwm Clogwyn ar ochr orllewinol Yr Wyddfa:

> Un haf treuliodd Dan a minnau wythnos gyfan yn archwilio creigiau Cwm Clogwyn, sy'n wynebu tua'r Rhyd-ddu.
>
> Yr ail ddiwrnod dringem i fyny dwy gwter gyfochrog (Cwter = rhigol, simdde, *gully*) a redai i lawr o frig y mynydd i fôn y clogwyn.
>
> ... Oherwydd y perygl oddi wrth gwymp meini rhyddion aeth Dan i fyny un gwter a minnau i fyny'r llall; ond yr oedd pob un o'r ddwy yn rhy ddofn i ni fedru gweld beth oedd yn mynd ymlaen yn yr un gyfagos.
>
> Wedi rhyw awr o chwilota a dringo cyrhaeddais y top, gan ddisgwyl gweld fy nghyfaill yno o'm blaen.
>
> Ond, yn lle Dan, beth a welwn oedd dyn a dynes (ymwelwyr) yn sefyll uwchben ei gwter gan ymddifyrru mewn rowlio meini i lawr drwyddi.
>
> Ar amrantiad tybiwn weld Dan yn ei waed, os nad oedd wedi ei hyrddio gan y meini i fôn y clogwyn.
>
> Collais bob llywodraeth arnaf fy hun, gan alw'r ddeuddyn dieithr yn llofruddion, ac enwau gwaeth, a'u dychryn yn anaele. Cychwynnais i lawr i chwilio am gorff fy nghyfaill, ond mewn gwan obaith y gallai fod yn fyw, gwaeddwn "Dan!" nes oedd clogwyni'r Wyddfa'n diaspedain.
>
> ... Toc, er fy mawr lawenydd, dyma lais yn ateb, ond o gwter arall.
>
> Yr oedd yr un y cychwynasai ar hyd-ddi mor dlawd o blanhigion fel y croesodd fy nghyfaill allan ohoni i un arall; a dyna drugaredd oedd hynny, neu buasai wedi ei ladd cyn wired â dim.
>
> Aethom ein dau i chwilio am bechaduriaid y meini, ond yr oeddynt wedi dychryn am eu bywyd a ffoi i Lanberis.
>
> Clywsom wedyn eu bod yn llygadu'n arw ar y papur drannoeth, ac yn holi, "ar ddiarth," am ryw ddamwain ar yr Wyddfa; ond ni wyddent eto pa fodd y bu i'r bomio caled ar y gwter honno fethu niweidio Dan.[21]

Cwmglas Mawr, Yr Wyddfa
Llun: Yr awdur

Clogwyn Du'r Arddu, Yr Wyddfa
Llun: Maldwyn Roberts

Clogwyn y Garnedd a Llyn Glaslyn, Yr Wyddfa
Llun: Yr awdur

Llyn Ffynnon Frech (Llyn Bach bellach) a'r Glyderau
Llun: Yr awdur

Lili'r Wyddfa *(Lloydia serotina)*
Llun: Yr awdur

Derig *(Dryas octopetala)*
Llun: Yr awdur

Y Gelynredynen *(Polystichum lonchitis),* Yr Wyddfa
Llun: Yr awdur

Y Gelynredynen *(Polystichum lonchitis),* Moel yr Ogof
Llun: Griff Williams

Y Goredynen Hirgul *(Woodsia ilvensis)*
Llun: Griff Williams

Y Goredynen Alpaidd *(Woodsia alpina)*
Llun: Yr awdur

Duegredynen Fforchog *(Asplenium septentrionale)*, Moel yr Ogof
Llun: Yr awdur

Tormaen Porffor *(Saxifraga oppositifolia)*, Clogwyn Du'r Arddu
Llun: Yr awdur

Cwm Llefrith a Bwlch Meillionen
Llun: Yr awdur

Culfor Menai
Llun: Yr awdur

Heboglys Eryri *(Hieracium snowdoniense)*
Llun: Scott Hand

Heboglys Hardd *(Hieracium holosericeum)*
Llun: Yr awdur

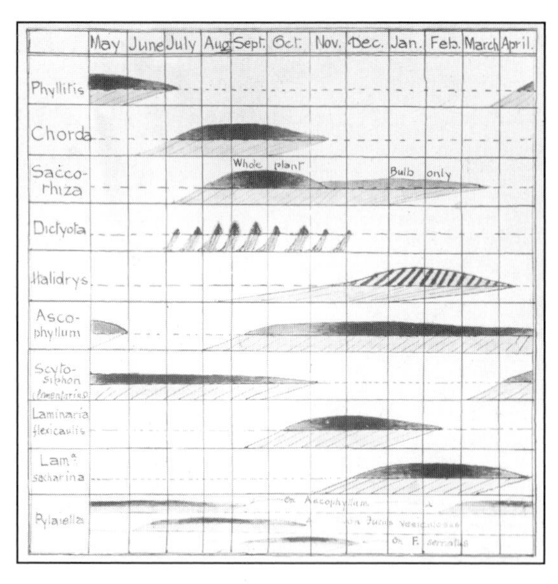

Un o sleidiau gwydr J. Lloyd Williams sy'n dangos y misoedd mae'r gwymon yn bwrw eu sborau.

Diau y buasai sawl botanegydd maes yn cytuno â mi mai'r Cwmglas Mawr yw'r cynefin cyfoethocaf os am weld amrywiaeth o lystyfiant Eryri; mae hefyd yn gwm lle teimlir rhyw awyrgylch braf a thangnefeddus, ac yno yr aeth J. Lloyd Williams ar 25 Gorffennaf 1890.

Dringodd i'r cwm o Fwlch Llanberis drwy ddilyn yr Afon Gennog i'r cwm isa yna dilyn y ffrydiau nes cyrraedd Llyn Glas. Y planhigyn cyntaf a welodd oedd yr Edafeddog Fynyddig *(Antennaria dioica)* yn tyfu ar glogwyn nepell o'r llyn, yna'r Dduegredynen Werdd, mymryn o Lawredynen y Derw ac er ei fawr lawenydd gwelodd y Gelynredynen am y tro cyntaf. Roedd Ffa'r Gors *(Menyanthes trifoliata)* yn tagu pwll bychan gerllaw ac fel y gŵyr pawb sy'n gyfarwydd â'r llecyn bendigedig hwn, synnodd weld Gold y Gors *(Caltha palustris)* yn tyfu mor uchel yn y mynyddoedd. Anelodd ei gamrau tua'r prif glogwyn. Mae hwn yn ffurfio braich gadarn ar ochr Ogledd-Orllewinol y cwm ac oherwydd ei fod o ansawdd galchog yn cyrraedd o odre Clogwyn y Person hyd at Fwlch Coch ceir yma doreth o wahanol blanhigion Arctig-Alpaidd. Cafodd wledd arall i'w lygaid o weld Tormaen yr Eira am y tro cyntaf ac o dderbyn hyn mae'n rhaid dod i'r casgliad mai yn ddiweddarach y daeth J. Lloyd Williams yn gyfarwydd â safleoedd Tormaen yr Eira a'r Gelynredynen ar Foel yr Ogof. Dywedodd chwarelwr lleol wrtho yn Llanberis y noson honno am gasgliad o redynau prin a arferai fod ganddo ac am y peryglon a wynebai'r casglwyr yn nannedd y clogwyni. Soniodd wrtho hefyd am gampau Wil Boots wrth gasglu rhedyn ac am ddamwain angeuol y tywysydd mentrus hwnnw ar Glogwyn y Garnedd.

O ystyried y peryglon a wynebai fotanegwyr-maes wrth chwilio am blanhigion Arctig-Alpaidd ar glogwyni Eryri mae'n syndod nad oedd damweiniau yn digwydd, yn enwedig o gofio nad oedd y cyfarpar pwrpasol ar gyfer dringo ganddynt. Ar 11 Mehefin 1892 roedd J. Lloyd Williams hanner ffordd i fyny clogwyn yng Nghwm Clyd, newydd ddod ar draws Draenog marw, pan fu ond y dim iddo yntau ddod i'r un dynged drwy lithro ond llwyddodd i arbed y godwm drwy blannu ei drywel a'i ffon yn y cerrig mân a'r pridd. Penderfynodd gilio'n ôl ond buan y sylweddolodd fod dringo i lawr yn anos na dringo i fyny gan nad oes modd gweld pob troedle. Rhwystrodd lithriad unwaith neu ddwy drwy orwedd ar draws y gwter a gwasgu ei hun rhwng yr ochrau ond nid un i roi i fyny ydoedd a dychwelodd i glogwyni Gwm Clyd y diwrnod canlynol a gwobrwywyd ei ddyfalbarhad:

> I was overjoyed to find I had come in the nick of time. The pretty little rock lily was in full bloom. There was plenty of it too – almost every crevice had lots of plants in it and there were plenty within easy reach. One of the prettiest things I ever saw was a big tuft of Thrift with Lloydia growing out of it. The pink heads of the thrift and the white Lloydias harmonized beautifully while the glaucos green cushions of Thrift leaves formed a nice back-ground to the flowers.[22]

Botanegydd arall a fu'n gwmni i J. Lloyd Williams ar sawl antur i chwilota am blanhigion prin oedd Albert Howard Trow (1863-1939), brodor o'r Drenewydd a ystyriai ei hun yn Gymro i'r carn er na allai siarad yr iaith. Addysgwyd ef yng Ngholeg y Normal, Bangor a Choleg y Brifysgol, Aberystwyth. Enillodd radd B.Sc. Llundain gydag anrhydedd mewn Botaneg ac yn unol â'r ffasiwn ymhlith gwyddonwyr ifainc y cyfnod treuliodd gyfnod yn astudio yn yr Almaen yn Freiburg, Breisgau. Yn ystod y 1890au cynnar apwyntiwyd ef yn Ddarlithydd mewn Botaneg yng Ngholeg Prifysgol De Cymru a Mynwy, Caerdydd pan oedd Botaneg yn rhan o'r adran Fywydeg ond yn 1893 dyrchafwyd ef yn Bennaeth Botaneg pan sefydlwyd yr wyddor yn bwnc ar wahân. Yn dilyn cyfnod byr fel Dirprwy Brifathro dyrchafwyd ef yn Brifathro yn 1919, gan barhau yn y swydd honno hyd at ei ymddeoliad yn 1929. Gŵr ar wahân oedd Trow gydag ond ychydig ffrindiau ond ni ellir ei alw'n unig. Y gred yn gyffredinol ymysg y sawl a'i hadwaenai oedd y teimlai y gallai gyflawni ei ddyletswyddau gweinyddol yn well heb unrhyw gysylltiadau personol. Cymerodd ran flaenllaw mewn sawl ymgyrch wyddonol ac addysgol ddadleuol fel yn ystod amser sefydlu'r Ysgol Feddygol Gymreig Genedlaethol, a'i waith ymchwil gwyddonol mwyaf cynhwysfawr oedd datrys dirgelion cyfansoddiad genetig y gwahanol fathau o'r Creulys *(Senecio vulgaris).* Roedd yn arddwr brwd, hoffai ddringo mynyddoedd Cymru a'r Alpau a ffurfiodd gasgliad o blanhigion ar gyfer Herbariwm Adran Botaneg ei goleg. Golygodd *The Flora of Glamorgan* a gyhoeddwyd i ddechrau mewn rhannau yn Nhrafodion Cymdeithas Naturiaethwyr Caerdydd cyn ei ailgyhoeddi'n llyfr yn 1911.

Erys tystiolaeth y mynych lythyru fu rhyngddynt, ynghyd â'r teithiau archwilio a groniclwyd yn y nodlyfrau, bod Trow a J. Lloyd Williams yn gyfeillion agos. Ymwelodd y ddau â Chwm Bochlwyd â'r Gribin uwchlaw Cwm Idwal yn ystod Gorffennaf 1892 a thra'n crwydro gwaelod y cwm clywodd J. Lloyd Williams Trow yn galw'n gynhyrfus arno o'r gefnen uwchben. Dringodd ato a chael bod Trow wedi dod ar draws blodyn a oedd yn brinnach na hyd yn oed Lili'r Wyddfa a'r hanes amdano yr un mor ddiddorol. Hyd y gwyddys tair safle'n unig i'r Derig *(Dryas octopetala)* sydd yna yng Nghymru ond yn 1892 dim ond un ohonynt oedd yn wybyddus i fotanegwyr. Arweiniodd Trow ei gyfaill at safle'r Derig ynghyd â phlanhigion fel Pren y Ddannoedd, Gludlys Mwsoglyd, Briwydden Fynyddig *(Galium boreale)*, Duegredynen Werdd *(Asplenium viride)*, Edafeddog Fynyddig, a Bara Can y Defaid *(Plantago maritima)*. Roedd digonedd o'r Derig yn tyfu yno ar y pryd yn ôl J. Lloyd Williams, mwy nag sydd yno erbyn heddiw fe dybiwn ond pan ddarganfuwyd y planhigyn am y tro cyntaf roedd cryn amheuaeth ymysg rhai botanegwyr mai wedi ei blannu yno yr oedd. Gwnaed yr awgrym gan James Britten o Adran Fotaneg yr Amgueddfa Brydeinig yn y gyfrol *Jenkinson's Practical Guide to North Wales*:

> Dryas octopetala, Linn. C. This grows in great abundance between Twll Du and Glyder Fawr, but there seems a probability of its having been planted in this locality.[23]

Daw'r cofnod cynharaf am ddarganfod y Derig ar y Glyder mewn erthygl o waith William Pamplin ar daith gerdded i'r Glyder dan arweiniad William Williams (Wil Boots), a ymddangosodd yn y cylchgrawn botanegol *The Phytologist* yn 1858 lle datgelir enw'r darganfyddwr cyntaf:

> This day's walk and work will be remembered with pleasure long by me, and I think by Williams too, for he enjoyed it extremely. Please remember the entire credit of the discovery of the Dryas, which is in splendid abundance, is entirely due to him, William Williams.[24]

Ysgrifennodd Charles Babington, Coleg Sant Ioan, Caergrawnt, lythyr at William Pamplin yn cadarnhau honiad William Williams: 'Williams need not to have been so anxious about the Dryas as I fully believed him'.[25]

Tra'n cerdded dros y Gribin, sef ysgwydd o glogwyn cul sy'n ffurfio braich cesail Cwm Bochlwyd, dywed J. Lloyd Williams iddo weld y bar haearn a oedd wedi ei golbio i'r graig yno flynyddoedd yn ôl gan William Williams ar gyfer clymu ei raff wrtho ac abseilio lawr i hel y Gor-redynen brin a dyfai ar y clogwyni islaw.

Mynyddoedd yr hen sir Gaernarfon, gyda'u hamrywiaeth o wahanol fathau o blanhigion Arctig-Alpaidd oedd y brif atynfa i fotanegwyr yr oes a fu. Ond er cyn hoffed oedd John Lloyd Williams o'r cynefinoedd hynny nid esgeulusodd ei harfordir gwyllt a chreigiog. A. H. Trow oedd ei gydymaith yn ystod taith gerdded hynod o ddiddorol drwy ddilyn yr arfordir o Abersoch i Aberdaron ar 12 Medi 1891. Roedd yn fore tawchog tawel tra cerddai'r ddau am Borth Ceiriad a chlogwyn y Pared Mawr lle gwelwyd y Dduegredynen Ddu *(Asplenium adiantum-nigrum),* Penrhudd, Pig y Crëyr Arfor *(Erodium maritimum),* Edafeddog *(Filago vulgaris),* Pannog Melyn *(Verbascum thapsus),* Rhuddygl Glan y Môr *(Raphanus raphanistrum* subs. *maritimus)*, Eurinllys Ymdaenol *(Hypericum humifusum),* Meddyg Mair *(Inula conyza),* Llys y Dryw *(Agrimonia eupatoria)*, Duegredynen Arfor *(Asplenium marinum),* Murlys *(Parietaria judaica),* Berwr Taliesin, Pig yr Aran Rhuddgoch, a Llaethlys Portland *(Euphorbia portlandica)*.

Wedi chwilota wyneb y Pared Mawr yn ofalus disgynnodd y ddau i'r traeth a thra'r oedd y llanw allan penderfynwyd chwilio'r ochr greigiog ogleddol. Nid gwaith hawdd oedd hyn gan fod darnau o'r graig yn ymestyn allan o'r clogwyni ar onglau sgwâr, a chan fod y llanw ar droi rhaid oedd brysio. Ymhellach ymlaen gwnaethant ddarganfyddiad go bwysig drwy ddod ar draws y Rhedynen Gyfrdwy *(Osmunda regalis)* ar wyneb clogwyn gwlyb; mae hon yn rhedynen hardd iawn ond yn eithaf prin oherwydd y casglu a fu arni ar gyfer addurno gerddi. Brysiodd Trow a J. Lloyd Williams yn eu holau dros y creigiau rhag i'r llanw eu dal gan ddringo'r clogwyn a chyrraedd y ffrwd fechan a redai o gyfeiriad Tyddyn y Priciau. Yn y cyffiniau yma gwelwyd Crwynllys y Maes *(Gentianella campestris)* a'r Caineirian Troellog *(Spiranthes spiralis),* dau blanhigyn prin iawn erbyn heddiw. Wrth groesi Mynydd Cilan daethpwyd o hyd i nifer o Belenllys *(Pilularia globulifera)* yn y pyllau dŵr sydd yma ac acw ar y penrhyn. Er mai yn nhrefn y rhedynau y gosodir y Belenllys yn y llyfrau nid oes dim tebygrwydd o fath yn y byd ynddi i redyn arferol. Yn wir, tasg ddigon anodd a fyddai i rywun sylwi arni gan mai'r cwbl sydd i'w weld yw tyfiant tebyg i frwynen ifanc yn tyfu allan o fwd glannau'r pwll. Caiff ei henw Pelenllys oherwydd y belen flewog sydd ar waelod pob deilen ar gyfer gwarchod y sborau. Trwyn Cilan yw'r un o'r mannau lle'i ceir yn tyfu yng Ngwynedd ar wahân i Gwm Idwal ac un llecyn gerllaw Bwlch Sychnant. Yn ôl arferiad yr oes galwodd y ddau mewn bwthyn a gofyn am laeth enwyn i dorri eu syched. Er bod golwg dlodaidd ar y bwthyn siambar a thaflod roedd copi o *Gwyrthiau Crist* gan Owen Evans a gweithiau cyffelyb ar yr astell lyfrau yno. Wedi seibiant a llymaid o laeth enwyn ailgychwynnodd J. Lloyd Williams a Trow heibio Porth Neigwl a chan nad oedd yn bosibl cerdded ar hyd y traeth golygai daith o bedair neu bum milltir dros dir cleiog erchwyn y talcen serth a chan bod nifer o ffrydiau bychain yn torri drwyddo gwaith blin oedd ymlwybro mlaen yng ngwres yr haul. Wedi croesi Mynydd Rhiw daeth Uwchmynydd i'r golwg ac erbyn hyn roeddynt yn barod am ychwaneg o laeth enwyn i dorri eu syched:

> Just before reaching the turning for Llanfaelrhys we went into a small farmhouse again to ask for milk ... The mistress while preparing the tea chatted away ... in the most hearty and hospitable manner. She told us of her son who was at Whiteley's in London; and another woman spoke of her son who was far away in Sydney. The latter dame was rallied by her companion because of her great terror of Jack the Ripper & great amusement was caused by her telling how she mistook a distinguished lawyer, carrying a black bag for that ruffian.[26]

Wrth gerdded y traeth yn ddiweddarach sylwodd J. Lloyd Williams ar dyfiant gwyrddlwyd yn ymddangos ar glogwyn gerllaw ac wedi tynnu sylw Trow a oedd yn chwilota yn is i lawr ar y traeth at y peth, dechreuodd y ddau redeg am y cyntaf i gyrraedd y planhigyn er mwyn gweld beth ydoedd a J. Lloyd Williams a enillodd y ras. Y planhigyn oedd yr Ysgedd Arfor *(Crambe maritima)* a dyma'r tro cyntaf i'r un o'r ddau fotanegydd ei weld, yn ôl y cofnod yn nodlyfr J. Lloyd Williams sy'n ychwanegu ei bod yn amlwg bod carfan helaeth o galch yno ond heb ei nodi ar y mapiau:

> The cove here was very pretty a little shingle bordered by high cliffs at the base of which were huge boulders – a recess in the cliff wall with a black wall of rock at the back over which a tiny cascade trickled and a road crossing diagonally in front of it. In the recess we found Hart's tongue, orpine, tutsan, etc. Going along the cliff foot we found it covered with luxuriant vegetation ... After going a short distance we were compelled to climb to the top. This in many places was marshy and seemed to be rich in plants we however found nothing but Spiranthes [Caneirian Troellog].[26]

Mae'r ardal o gwmpas Porth Ysgo a Gallt y Môr yn parhau yn fannau delfrydol i'r planhigion a gofnodwyd gan J. Lloyd Williams dros gan mlynedd yn ôl a gwelwyd Meddyg Mair, Sampier y Geifr *(Inula crithmoides)*, Pig yr Aran Rhuddgoch a Lafant y Morgreigiau *(Limonium binervosum)* yno yn ddiweddar. Wrth gau pen y mwdwl ar gofnodion y dydd mae J. Lloyd Williams yn datgan iddynt ymweld â Maen Gwenonwy tra'r oedd y llanw allan ond prysurodd i egluro ei fod yn lle digon rhamantus eithr heb gyfoeth planhigion oherwydd nad oedd y garreg galch yn ymestyn yno o'r tir mawr: 'The lime seems to get lost shortly before reaching Maen Gwenonwy so the cliffs here were not at all rich' meddai. Ar ddiwedd y dydd cyrhaeddwyd Aberdaron drwy ddilyn pen y clogwyn at drwyn y penrhyn ger Porth Sleidiad, yna cerdded ar hyd y traeth i'r pentref gan gyrraedd yn nhywyllwch nos. Tra'n cerdded adref tua'r Garn un tro o Afonwen wedi diwrnod o lysieua ym mhen Llŷn gwnaeth J. Lloyd Williams sylw diddorol ynglŷn â llystyfiant y penrhyn o'i gymharu ag Eifionydd. '… walked home from Afonwen and was much struck by the great contrast between the Flora of Eifionydd & that of Lleyn. Former very dry – fields white with corn nearly ready to cut and but few flowers. / Latter green luxt. with beds of bloom … It was just like going into another country.'

Pan gyhoeddwyd *The Flora of Anglesey and Carnarvonshire* gan J. E. Griffith yn 1894/5 gwelir enw J. Lloyd Williams wrth dros gant o enwau planhigion a gofnodir yn y llyfr, y rhan fwyaf ohonynt yn rhan o lystyfiant Llŷn ac Eifionydd; ffrwyth archwiliadau tebyg i'r hyn a grybwyllir uchod. Er bod Griffith ei hun yn crwydro llawer i chwilota dibynnai i raddau helaeth ar J. Lloyd Williams fel cofnodydd y rhan yma o'r hen sir Gaernarfon gan fod ei gartref yn y Garn ar garreg y drws fel petai. Roedd yn haws i Griffith ganolbwyntio ar archwilio safleoedd ym Môn a gogledd sir Gaernarfon fel Penygogarth a cheir tystiolaeth i J. Lloyd Williams fod yn gydymaith iddo ar ambell achlysur.

Mab i Griffith Griffith, Taldrwst, Llangristiolus, Môn oedd John Edwards Griffith (1843-1933), awdur y *Flora*. Bu'n brentis yn siop fferyllydd ei ewythr William Griffith yn Stryd Fawr Bangor a phan fu ef farw yn 1864 daeth y busnes drosodd i J. E. Griffith. Ei wraig gyntaf oedd Ann, merch Rowland Parry, Fron Heulog, Bangor, ond bu hi farw yn 1888 ac ail-briododd gydag Ellen Augusta, unig ferch y Parchedig John Williams Ellis o'r Glasfryn, Llangybi, a Phlas Lodwig, Bangor. Rhoddodd y gorau i'w waith fel fferyllydd yn fuan wedyn gan dreulio gweddill ei oes fel gŵr bonheddig gydag incwm preifat. Yn ogystal â'r *Flora* cyhoeddodd *Portfolio of Photographs of Cromlechs* yn 1900 â'r *Pedigrees of Anglesey and Carnarvonshire*

Families yn 1914. Yn Rhagair ei *Flora* dywed Griffith iddo fod wrthi'n astudio llystyfiant Môn ac Arfon am dros ugain mlynedd cyn cyhoeddi ond am reswm anesboniadwy nid yw'n sôn iddo gyhoeddi detholiad o'r gwaith hwn yn 1879 dan y teitl *The Flora of Carnarvonshire and Anglesea* mewn rhannau yn y *Naturalist,* cylchgrawn Cymdeithas Naturiaethwyr Swydd Efrog.

J. E. Griffith (1843 – 1933)
Llun: Amgueddfeydd ac Orielau Cenedlaethol Cymru

Mae'n anochel bod gohebiaeth rhwng J. E. Griffith a J. Lloyd Williams yn ystod y cyfnod hwn ond ni welwyd un llythyr i gadarnhau hyn ymysg llythyrau yr olaf yn y Llyfrgell Genedlaethol; eithr cofnodir ymweliad â Môn ar 2 Awst 1890. Aeth y ddau yng nghwmni R. W. Phillips i Lanfihangel yn Nhowyn gan archwilio ardal llynnoedd Traffwll, Dinam a Phenrhyn. Wrth sylwi ar y toreth Gorudd *(Odontites vernus)* ar hyd ochrau'r ffyrdd dywedodd J. E. Griffith fod y blodyn yn ffyrnigo teirw. Tyfai gwahanol fathau o Ddyfrllys *(Potamogeton)* yn Llyn Dinam a gwelwyd y Rhedynen Gyfrdwy brin ar y glannau; cyhoeddwyd hyn gan J. E. Griffith yn ei *Flora.* Ymddengys fodd bynnag nad ydyw wedi parhau yn y cynefin hwn gan na chofnodir hi yn y *Flowering Plants and Ferns of Anglesey* (1982) gan R. H. Roberts. Nid felly'r Llafnlys Mawr *(Ranunculus lingua)*; sylwyd ar hwn yn tyfu yn yr un cynefin gan J. E. Griffith ac R. H. Roberts. Ymddengys bod y Rhedynen Gyfrdwy yn ddigon prin yn ystod oes Hugh Davies yn ôl y *Welsh Botanology* (1813) ond dywed nad oedd y Llafnlys Mawr yn blanhigyn anghyffredin yr adeg honno. Er bod llawer o anghytuno wedi digwydd yn ystod y dydd rhwng J. E. Griffith, Phillips a J. Lloyd Williams ynglŷn â rhai mathau o hesg y daethpwyd ar eu traws (teulu sy'n parhau i achosi dryswch) mae'n amlwg bod y cynefin hwn wedi creu argraff ar yr olaf pan ddywed y buasai angen pythefnos i archwilio'r lle yn iawn. Wrth ailgyfarfod yn ystod y dydd a phawb yn agor ei fasgwlwm er mwyn cymharu'r planhigion a gasglwyd dychrynwyd y ddau arall pan welwyd gwiber yn ymddolennu ymysg planhigion Phillips.

Ymhellach, ar 18 Mehefin 1892 aeth J. Lloyd Williams yng nghwmni J.

E. Griffith ar daith lysieua arall i Fôn. Teithiodd y ddau ar y trên o Fangor i'r Fali ac oddi yno cerdded i Ynys Gybi gan gyfarfod nifer o ffermwyr a'u teuluoedd a oedd ar eu ffordd i farchnad Caergybi:

> As we went we were passed by many spring wagons, high & clumsy taking country people to Holyhead market. These lumbered along full of bluff farmers with big square topped hats well down on their ears, farmers' wives with gay striped shawls & baskets of eggs & butter and rosy farmers' daughters who evidently were going to market for pleasure as well as business.[27]

Yn y man daethant at yr arfordir creigiog gwyllt yn llawn Cwcwll *(Scutellaria galericulata)* a chyfeiriwyd at yr Haenithfaen yn brigo mewn sawl lle. Gwnaeth J. Lloyd Williams nodyn o'r cyferbyniad rhwng tyfiant y creigiau a thyfiant y pridd gan ofyn: 'Is the interesting character of the latter [soil] due chiefly to Geographical distribution; or to the fertile character of the rock when disintegrated & mixed with sand & peat?' Cofnododd *Orchis latifolia* [Tegeirian y Gors; *Dactylorhiza incarnata* mae'n debyg], Swigenddail *(Utricularia australis)*, Corsfrwynen *(Cladium mariscus)*, Corsfrwynen Losg *(Rhyncospora fusca)* a Chribwellt *(Koeleria macrantha)*. Achosodd un hesgen gryn ddryswch iddo. Yn ystod y daith dangosodd J. E. Griffith hesgen a alwai yn *Carex elytroides* gan honni hefyd yn ei *Flora* mai ef a'i darganfu gyntaf ond nododd J. Lloyd Williams ei amheuaeth: 'I however could not make these out to be anything but C. vulgaris.' [Swp-hesgen y Fawnog, mae'n debyg]. Erbyn hyn penderfynwyd mai croes rhwng Swp-hesgen y Fawnog *(Carex nigra)* a'r Hesgen Eiddil Dywysennog *(Carex acuta)* ydyw.

Crwydrodd y ddau i gyfeiriad Porth Dafarch gan weld nifer o Laethlys Portland *(Euphorbia portlandica)* ar y creigiau a dyma'r tro cyntaf i J. Lloyd Williams weld Moronen y Môr *(Daucus carota* subsp. *gummifer)*. Soniwyd yn flaenorol am y botanegydd Hugh Davies, awdur y *Welsh Botanology,* ac mae'r planhigyn nesaf a welwyd ar y daith yn un o ddarganfyddiadau pwysicaf y gŵr hwnnw. Ni cheir y Chweinlys Arfor *(Tephroseris integrifolia)* yn unman yng Ngymru ond yng ngorllewin Môn ac mae'r sylw canlynol a wnaed gan Hugh Davies yn werth ei ddyfynnu:

> It grows on declivities above the sea, at Porth y pistill, and Porth y felin, near Holyhead. There is something singular in the particular attachment of this plant to its maritime situation; although it must

WELSH BOTANOLOGY;

PART THE FIRST.

A

SYSTEMATIC CATALOGUE

OF THE

NATIVE PLANTS

OF THE

ISLE OF ANGLESEY,

IN

LATIN, ENGLISH, AND WELSH;

WITH THE HABITATS OF THE RARER SPECIES,
AND A FEW OBSERVATIONS.

TO WHICH IS ADDED,

AN APPENDIX,

CONSISTING OF

THOSE GENERA, IN THE THREE FIRST VOLUMES OF FLORA BRITANNICA,
WHICH ARE NOT OF SPONTANEOUS GROWTH IN ANGLESEY,
RENDERED LIKEWISE INTO WELSH.

BY HUGH DAVIES, F.L.S.

Nomina si nescis, perit et cognitio rerum.
Phil. Bot.

LONDON:

PRINTED, FOR THE AUTHOR,
BY W. MARCHANT, INGRAM-COURT, FENCHURCH-STREET; AND SOLD BY
R. WILLIAMS, NO. 11, STRAND; AND T. POOLE, CHESTER.

1813.

Tudalen deitl *Welsh Botanology*, Hugh Davies.

> for ages have annually ripened its seed, on the south-west side of this country, from which point the wind blows above three-fourths of the year, and must consequently convey the downy seed plentifully into the country, yet we never see a plant of it, at any distance from its favourite ground, though there is a good deal of uncultivated land near, where it might be propagated without interruption. The common size of this plant is from one to two feet, it sometimes exceeds even that.[28]

Dros bedwar ugain mlynedd yn ddiweddarach mae J. E. Griffith yn cofnodi'r Chweinlys Arfor yn ei *Flora* yntau gan gofnodi safleoedd ar ben y clogwyni rhwng Porth Dafarch ac Ynys Lawd, ac yn 1982 cyhoeddodd R. H. Roberts ef o'r un cyffiniau yn ei gyfrol *The Flowering Plants and Ferns of Anglesey.*

Atynfa boblogaidd arall oedd ardal y Creuddyn ac yn yr hen amser cyn oes y trên, ymddengys ei fod yn lle delfrydol i ymwelwyr fynd pan nad oedd y tywydd neu'r amser yn caniatáu teithio i fynyddoedd Eryri. Meddai'r meddyg John Roberts (1792-1849) o Fangor mewn llythyr at y bryolegydd William Wilson o Warrington: 'If you can reach only Ormeshead in May pray let me know of your arrival.'[29] Mae Penygogarth yn fynydd ynddo'i hun ac yn wahanol i fynyddoedd Eryri oherwydd mai o'r galchfaen y'i ffurfiwyd ac felly cynnwys rai planhigion na welir ar y mynyddoedd mawr. Pan hwyluswyd teithio drwy ymestyniad y rheilffyrdd a dyfodiad y 'steam packet' datblygodd Llandudno yn atyniad poblogaidd, cyhoeddwyd llyfrau-tywys ac yn ddieithriad bron cyhoeddwyd ynddynt ddetholiad o blanhigion diddorol yr ardal.

Ar 11 Gorffennaf 1889 gwelir J. Lloyd Williams yn cael trafferthion gydag un o'r hesg a dyfai yn rhywle ar y Creuddyn. Yr oedd wedi casglu yr hyn a dybiai oedd yr Hesgen Braff-dywysennog *(Carex riparia)* sydd fel arfer yn tyfu mewn ffosydd neu ar lannau afonydd ond nid oedd yn ateb i'r disgrifiad a gyhoeddwyd yn llyfr planhigion Hooker. Mae'n debyg mai *The Student's Flora of the British Islands* oedd hwn. Er mwyn gwneud cymhariaeth, dull J. Lloyd Williams oedd gosod yn ei nodlyfr ddwy golofn unionsyth gyda disgrifiadau Hooker ar un ochr a disgrifiadau ei sbesimen ef gyferbyn, a thrwy hynny gwelir y gwahaniaethau yn syth.

Yr oedd yn Llandudno eto ar y 18 o'r un mis pan gofnododd ffenomen ryfeddol tra'n astudio blodau'r Canri Coch *(Centaurea erythraea)*, Clafrllys

(Knautia arvensis), Ysgellog *(Cichorium intybus)* ac Ysgall; digwyddiad sy'n tystio eto i'w alluoedd sylwi arbennig:

> I first of all observed that many of the bees that happened to be on these flowers seemed to remain longer and to be more helpless than those on other flowers. I took about an hour to watch these & found that more than 50% of those alighting on Cent. [Canri] & Scab. [Clafrllys] seemed to be strangely affected. The bee on alighting proceeded to thrust its long proboxea into the narrow tubes of the florets. In many cases these would be apparently empty but sometimes the bee appeared to take a "long pull". The invariable result would be that the insect would turn on its side and lift one or two of its legs up in the air, moving them convulsively. In some cases the bees turned on their backs, in others they ineffectually tried to fly away and often fell on the ground. I put one of the bees thus affected in a small tin box, and in about a quarter of an hour, while standing looking at a plant on which were 5 drunken bees, I opened the box. Out flew the bee with a buzz, described a circle in the air, then alighted on the plant. I was watching and in half a minute it was as drunk and helpless as ever. While going from Llanrwst to Conway I observed the same thing in the case of a spear thistle but had no time to investigate it minutely.[30]

Prif atyniad Penygogarth i fotanegwyr oedd Cotoneaster y Gogarth *(Cotoneaster cambricus)*, planhigyn nad yw'n tyfu'n wyllt yn unman arall ym Mhrydain. Y darganfyddwr oedd John Wynne Griffith o'r Garn, Henllan ger Dinbych yn 1783 ac fe'i gwelwyd yno gan J. Lloyd Williams ar 24 Mai 1891, er iddo ddweud ei fod wedi ymweld â'r lle tua thair neu bedair blynedd ynghynt. Drwy gyfrwng y fasgwlwm daeth i adnabod botanegydd lleol oedrannus a adwaenid fel 'Jones the Barber' ac yn ystod eu sgwrs cafodd wybod fel y bu i ŵr bonheddig gau rhan o'r mynydd er mwyn creu gardd i geisio tyfu'r Cotoneaster o doriadau ynddi. Er cymaint ei ofal sylwodd nad oedd fawr o lewyrch ar y rhai a blannwyd ond gwelodd lwyni cryf ohoni wedi ymddangos mewn darn o dir nad oedd wedi ei gau allan a sylweddolodd pa mor anodd oedd meithrin Cotoneaster o doriadau. Cwynai J. Lloyd Williams am y difrod a achoswyd i rannau o'r mynydd drwy or-bori ond er hynny mae'n rhestru planhigion digon diddorol fel Briallu Mair *(Primula veris)*, Dulys *(Smyrnium olusatrum)*, Seren y Gwanwyn *(Scilla verna)*, Tegeirian y Waun *(Orchis morio)* a Pumdalen y

Gwanwyn *(Potentilla neumanniana)*. Nid y defaid na'r geifr oedd yr unig rai a oedd yn gyfrifol am y difrod a achoswyd i Benygogarth bryd hynny. Yn ôl y sôn roedd garddwr o'r enw Simpson wedi bod yn elwa o'r Cotoneaster drwy eu hanfon i Fanceinion i'w gwerthu; dioddefodd rhedynau prin fel Tafod y Neidr *(Ophioglossum vulgatum)* a Llawredynen y Derw *(Gymnocarpium dryopteris)* yn yr un modd.

Un arall o hoff heldiroedd J. Lloyd Williams oedd y Traeth Mawr ger Porthmadog, ymestyniad helaeth o dir wedi ei ennill o'r môr yn dilyn codi'r argae (a adwaenid yn lleol fel 'y Cob') ar draws aber Afon Glaslyn gan William Madocks ar ddechrau'r bedwaredd ganrif ar bymtheg. Ar 5 Gorffennaf 1890 ymwelodd â'r lle yng nghwmni William Hunt Painter (1835-1910) a fu, yn dilyn cyfnodau yn Edgbaston, Derby a Bryste, yn Rheithor Stirchley, Swydd Amwythig, o 1894 i 1909. Roedd Painter yn fotanegydd brwd ac yn awdur *A Contribution to a Flora of Derbyshire* (1889). Cyhoeddodd ysgrif fer yn y *Journal of Botany* yn 1891 i gofnodi darganfyddiad cyntaf y Frwynen Fain *(Juncus tenuis)* yng Nghymru. Yn ystod y daith digwyddodd Painter sylwi ar frwynen a oedd yn wahanol i'r rhai arferol a welid ar y Traeth Mawr. Galwodd ar J. Lloyd Williams i gael golwg arni ac yn dilyn archwiliadau pellach ynghyd ag ymgynghoriad â J. E. Griffith er mwyn cadarnhau barn y ddau arall cytunwyd mai'r Frwynen Fain oedd y planhigyn. Cafwyd erthygl faith ar y pwnc gan J. Lloyd Williams yn y *Journal of Botany* (34: 1896) ac ynddi datgelir mai planhigyn oedd wedi dod i Brydain o'r America oedd y frwynen newydd ac mai ochrau lonydd trol oedd ei hoff gynefin. Eglurwyd ymhellach fod parhad y frwynen yn dibynnu ar ddefnydd cyson o'r lôn drol; pan ddigwyddai lleihad yn y mynd a dod ymddangosai tyfiant newydd a diflannai'r Frwynen Fain, eithr cyn wired a bod trac newydd yn cael ei greu gerllaw ail-sefydlai'r frwynen arno. Cyhoeddodd J. E. Griffith leoliad y Frwynen Fain yn ei *Flora* (t.134) gan enwi J. Lloyd Williams, ynghyd â'r ysgrif gan Painter, fel ffynhonnell y darganfyddiad.

Wedi treulio deunaw mlynedd yng Ngarn Dolbenmaen daeth gyrfa J. Lloyd Williams fel prifathro ysgol elfennol i ben yn ddigon disymwth ar ddechrau gwyliau haf 1893. Yr oedd erbyn hyn yn tynnu at ei ddeugain oed ac yn parhau'n ddi-briod. Yr unig gofnod a geir yn ei nodlyfr yr adeg yma yw ei fod wedi cau'r ysgol ar 30 Mehefin ac wedi gadael ar y trên 5 o'r gloch am wyliau gan enwi Hanley, Derwent Valley, Richmond, Dorking, High Wycombe, Aylesbury ac Oxford fel y mannau yr ymwelodd â hwy.

Ond, erbyn 5 Awst yr oedd wedi dychwelyd i Gymru ac wedi mynd i grwydro copaon mynyddoedd y Graig Goch a Chwm Silyn uwchlaw Dyffryn Nantlle.

Er na chafwyd cadarnhad o'r briodas mae'n fwy na thebyg ei fod, rhywbryd rhwng haf 1893 a Rhagfyr 1894, wedi priodi gydag Elizabeth, merch Emmanuel Jones, Tŷ Mawr, Cricieth. Ganed eu mab Idwal ar 11 Rhagfyr 1894 a Geraint ar 9 Rhagfyr 1897 ond ar garreg fedd J. Lloyd Williams a'i wraig ym Mynwent Cricieth ceir enw mab arall iddynt, sef Gwynedd Robert a fu farw'n bedwar mis oed ar 15 Mawrth 1894.

Mae'n deg tybio mai amgylchiadau personol oedd i gyfrif am lesteirio dyrchafiad ei yrfa broffesiynol ond erbyn Hydref 1893 roedd wedi cymryd camrau cadarnhaol i wella ei sefyllfa drwy ddechrau ar gyfnod o bedair blynedd o astudio yn y *Royal College of Science*, South Kensington.

NODIADAU: Pennod 4

1. Elizabeth Williams, *Brethyn Cartref* (Yr awdur: Ail Argraffiad, Rhagfyr, 1951) tt. 89-90.
2. J. Lloyd Williams, *Atgofion Tri Chwarter Canrif* iv (Llundain, 1945), tt. 158-9.
3. Llyfrgell Genedlaethol Cymru, J.Ll.W., Eitem 70.
4. J. Lloyd Williams, *Atgofion* ... iv, t. 158.
5. J. Lloyd Williams, *Journal of Botany* 25 (1887), t 215.
6. Thomas Moore, *Journal of Botany* 1 (1863), tt. 238-9.
7. J. Lloyd Williams, *Atgofion* ... iv, t.190.
8. Ll.G.C., J. Lloyd Williams, Eitem 145.
9. R.H.Roberts, *Fern Gazette* 12 (1) 1979 t.2.
10. John E.Griffith, *The Flora of Anglesey & Carnarvonshire* (Bangor, d.d.), t.165.
11. W. M. Condry, *The Snowdonia National Park* (London, 1966), t. 153.
12. Amgueddfeydd ac Orielau Cenedlaethol Cymru, Caerdydd. Dolen Herbariwm 27:73:4.
13. Caerwyson, *Cymru* (Mehefin, 1921), tt. 206-8.
14. Ll.G.C., J. Lloyd Williams, Eitem 143.
15. Ibid., Eitem 71 (i).
16. John E. Griffith, *Flora* ... t. 23.
17. R. H. Roberts, Bangor, gohebiaeth bersonol. 27 Rhagfyr, 2001.
18. J. Lloyd Williams, *The Western Mail* (October 30, 1936) t. 11.
19. Ll.G.C. J. Lloyd Williams, Eitem 71 (i).
20. Ibid.
21. J. Lloyd Williams, *The Western Mail* (October 30, 1936) t. 11.
22. Ll.G.C., J. Lloyd Williams, Eitem 71 (i).
23. James Britten, *Jenkinson's Practical Guide to North Wales* (London, 1878), t. lxxxix.
24. William Pamplin, The Phytologist 2 (1858), tt. 312-5.
25. Dewi Jones, *Trafodion Cymdeithas Hanes Sir Gaernarfon* 59 (1998), t. 75.
26. Ll.G.C., J. Lloyd Williams, Eitem 70.
27. Ibid., Eitem 71.
28. Hugh Davies, *Welsh Botanology* (London, 1813), tt. 79-80.
29. Dewi Jones, *The Botanists and Guides of Snowdonia* (Llanrwst, 1996), t. 96.
30. Ll.G.C., J. Lloyd Williams, Eitem 71 (i).

5
Ehangu Gorwelion

Erbyn 1893 roedd J. Lloyd Williams yn cael ei ystyried yn arbenigwr ar blanhigion Arctig-Alpaidd Eryri ac wedi meistroli'r agwedd hon o'r pwnc, sef chwilota gwahanol gynefinoedd, casglu a chofnodi, penderfynodd ganolbwyntio ar y meysydd ehangach a oedd yn agor i'r mathau uchaf o fotanegwyr, fel ceisio darganfod rhai o gyfrinion bywyd y planhigion a'u cysylltiad â'u hamgylchedd arbennig ac meddai:

> Yn raddol denwyd fi fwyfwy gan y pethau cywrain a newydd a welwn drwy'r meicrosgop; ac nid digon o gulhau fy maes ydoedd hyn ychwaith – mynnai fy meddwl ei ganoli ei hun ar y gell fyw, er lleied oedd honno; ac yn fuan prin y gwelwn ddim yn y gell ond ei chnewyllyn. Gwir na allwn ei gweld heb i'r meicrosgop ei mwyhau dros filwaith, a dangos ynddi gorffilod llai fyth. Gwyddwn hefyd mai yn y corffilod anhraethol fychain hyn y trysorid rhai o ddirgelion rhyfeddaf bywyd.[1]

Ni fu fawr o newid yng ngwyddor botaneg ers dyddiau Edward Lhuyd. Gwaith maes allan yn yr awyr agored ydoedd a chynyddai casgliadau planhigion yr Herbaria Colegol a'r rhai preifat, yn ogystal â'r amrywiaeth garddwrol, yn ystod blynyddoedd twf yr Ymerodraeth Brydeinig drwy fod botanegwyr mentrus y cyfnod yn cael rhwydd hynt i deithio'r gwledydd a feddiannwyd fel y mynnent. Canlyniad hyn oll oedd esgeuluso'r astudiaethau ffisiolegol a oedd yn mynd â bryd gwyddonwyr cyfandir Ewrop ond fel y dynesai'r bedwaredd ganrif ar bymtheg at ei therfyn rhoddwyd mwy o bwyslais ar astudiaethau biolegol, neu'r 'wyddoniaeth newydd' fel y'i hadwaenid. Tystia V. H. Blackman:

> Thus during the major part of the 19th century classification was pursued with an enthusiasm which almost excluded other aspects of botany, little attention being paid to the modern developments in comparative anatomy and physiology which had made such strides in German laboratories.[2]

Nid pawb, fodd bynnag, oedd yn fodlon ar y newidiadau a lleisiodd yr Athro Charles Cardale Babington (1808-1895), deilydd cadair fotaneg Coleg St. Ioan, Prifysgol Caergrawnt, ei farn yn ddigon pendant mewn cyfarfod o'r *Cambridge Ray Club* tua 1888:

> It is rare now to find an Undergraduate or B.A. who knows, or cares to know, one plant from another ... I am one of those who consider this to be a sad state of things. I know that much of what is called Botany is admirably taught amongst us; but it is not what is usually known as Botany outside the Universities, and does not lead to a practical knowledge of even the most common plants. It is really Vegetable Physiology, and ought to be so called. It is a very important subject, but does not convey a knowledge of plants.[3]

Dechreuodd J. Lloyd Williams ar gwrs o dair blynedd yn y *Royal College of Science*, South Kensington (*Imperial College of Science* bellach) dan athrawiaeth John Bretland Farmer (1865-1944) ar 8 Hydref 1893 gan ennill tystysgrif *Marshall Scholar* yn ystod tymor 1896/97. Caniatawyd iddo aros am flwyddyn yn ychwanegol er mwyn cwblhau ei astudiaethau ar wymoneg. Gan fod cefndir a datblygiad y wyddoniaeth newydd a hyrwyddwyd yn y *Royal College of Science* yn rhan annatod o drobwynt pwysig yn hanes bywyd J. Lloyd Williams dyma fraslun ar ddechreuad y sefydliad.[4]

Un o'r pethau mwyaf arwyddocaol a ddaeth o ganlyniad i'r Arddangosfa Fawr a gynhaliwyd yn y Crystal Palace yn 1851 oedd creu'r gofyn am addysg wyddonol dechnegol. Yn ystod y flwyddyn 1853 penderfynwyd mynd ati i ddiwallu'r gofynion hyn drwy ymestyn ffiniau'r *Government School of Mines* yn Jermyn Street, Piccadilly yng nghanol Llundain. Yn dilyn yr ad-drefnu newidiwyd enw'r ysgol yn gyntaf i *The Metropolitan School of Science applied to Mining and the Arts,* ac wedyn i *Royal School of Mines*. Fodd bynnag sylweddolwyd yn fuan nad oedd yr adeilad yn y *Museum of Practical Geology,* a oedd yn gartref i'r *Royal School of Mines,* yn addas ac ymhen dwy flynedd penderfynwyd cael cartref newydd i'r sefydliad. O ganlyniad yn 1872 symudwyd yr adrannau Cemeg, Ffiseg a Bioleg i adeilad yn South Kensington, adeilad a fwriadwyd i fod yn Goleg i'r Llynges Brydeinig ar y dechrau. I'r adeilad hwn y daeth J. Lloyd Williams i astudio yn 1893.

Sefydliad yn cael ei ariannu gan y Wladwriaeth oedd y *Royal College of*

Adeilad y Royal College of Science, South Kensington.
Llun: Drwy garedigrwydd Archifau yr Imperial College of Science.

Science ar gyfer gosod cyfarwyddiadau systemataidd mewn gwahanol feysydd o wyddoniaeth. Sefydlwyd y coleg yn bennaf er mwyn hyfforddi athrawon a myfyrwyr o'r dosbarth gweithiol gan eu dewis drwy ganlyniadau arholiadau wedi ei paratoi gan y *Science and Art Department.* Derbynnid myfyrwyr o'r dosbarth uwch i'r coleg cyn belled â bod lle iddynt, ond ar delerau drutach rhag creu cystadleuaeth â sefydliadau nad oeddynt yn derbyn cymorth gan y Wladwriaeth. I ddechrau derbyniai'r myfyrwyr hyfforddiant trylwyr ar rinweddau cyffredinol gwyddoniaeth a dilynwyd hyn gyda chyfres o hyfforddiant uwch mewn un neu fwy o ganghennau arbenigol yr wyddor. Derbyniai'r myfyrwyr llwyddiannus dystysgrif yr *Associateship of the Royal College of Science.* Parhâi pob cwrs hyfforddiant am dair blynedd. Rhennid pob sesiwn i ddau dymor gan ddechrau'r tymor cyntaf ar 4 Hydref a diweddu tua chanol Chwefror, a'r ail dymor yn cychwyn yng nghanol Chwefror ac yn parhau tan ganol mis Mehefin. Roedd gwyliau Nadolig a'r Pasg yn parhau am wyth diwrnod. Derbynnid tua hanner cant o athrawon a myfyrwyr a fwriadai fod yn athrawon gwyddoniaeth i'r dosbarthiadau gwyddonol am ddim. Caniateid

Labordy Bioleg myfyrwyr newydd y R.C.S. yn 1893 gyda'r Arddangosydd M. F. Woodward yn sefyll ar y dde.
Llun: Drwy garedigrwydd Archifau yr Imperial College of Science.

iddynt hawlio tocyn rheilffordd trydydd dosbarth i deithio o'u cartref i Lundain ac yn ôl a lwfans cynhaliaeth o un swllt ar hugain yr wythnos. Sefydlwyd yr *Huxley Laboratory for Biological Research* i goffáu cysylltiad hir yr Athro Thomas Henry Huxley (1825-1895) â'r *School of Mines* a'r *Royal College of Science* ac roedd yno lyfrgell werthfawr wedi ei chyflwyno gan yr Athro. Roedd yn ofynnol i'r myfyrwyr a ddefnyddiai'r labordy ymgymryd ag ymchwil wreiddiol mewn Bioleg (Swoleg, Botaneg neu Baleontoleg) dan gyfarwyddyd yr Athrawon neu'r Dirprwy-Athrawon o'r adrannau Biolegol a Daearegol. Dyfernid Ysgoloriaeth Marshall, a sefydlwyd gan Sarah Marshall i anrhydeddu ei thad Mathew Marshall, yn flynyddol i fyfyriwr a fu'n gwneud ymchwiliadau biolegol yn yr *Huxley Laboratory.*

Bu'r nofelydd enwog H. G. Wells yn astudio bioleg a swoleg dan Huxley yn y coleg hwn yn 1884-85 gan aros am ail a thrydedd flwyddyn i ddarllen ffiseg a daeareg ac eithaf peth fuasai cael golwg ar South Kensington, o safbwynt myfyriwr, gan Wells ei hun gan dynnu ar ei *Experiment in Autobiography.*[5]

> The day when I walked from my lodging in Westbourne Park across Kensington Gardens to the Normal School of Science, signed on at the entrance to that burly red-bricked and terra-cotta building and went up by the lift to the biological laboratory was one of the great days of my life.[6]

Cyfeddyf fod ei holl addysg wyddonol flaenorol yn ail-law:

> I had read about it, crammed textbooks, passed written examinations with a sense of being a long way off from the concrete facts and still further off from the living observations, thoughts, qualifications and first hand theorizing that constitute the scientific reality.[7]

Diau y buasai J. Lloyd Williams yn cytuno, ac roedd gweld labordy'r coleg hwn yn galondid i Wells:

> Here were microscopes, dissections, models, diagrams close to the objects they elucidated, specimens, museums, ready to answer my questions, explanations, discussions. Here I was under the shadow of Huxley, the acutest observer, the ablest generalizer, the great teacher, the most lucid and valiant of controversialists.[8]

Lleolwyd y labordy ar lawr uchaf y *Royal College of Science*; ystafell hir, a'i ffenestri yn edrych allan dros yr *Art Schools,* gyda chyfarpar o:

> deal tables, sinks and taps and, facing the windows, shelves of preparations surmounted by diagrams and drawings of dissections. On the tables were our microscopes, reagents, dissecting dishes or dissected animals as the case may be.[9]

Prin yw'r wybodaeth ynglŷn â sut y llwyddodd J. Lloyd Williams i'w gynnal ei hun yn ystod ei gyfnod yn South Kensington, o gofio mai gini yr wythnos a dderbyniai gan y coleg. Dywed Wells ei bod yn eithaf caled arno:

> The "Teachers in Training"... were paid a maintenance allowance of a guinea weekly, which even in those days was rather insufficient. After I had paid for my lodgings, breakfasts and so forth, I was left with only a shilling or two for a week of midday meals. Pay day was Wednesday and not infrequently my money had run out before Monday or Tuesday and then I ate nothing in the nine hour interval between the breakfast and the high tea I had at my lodgings.[10]

Roedd yn dda iddo fod ganddo gyfaill cefnog o'r enw Jennings a oedd yn gyd-fyfyriwr gydag ef yno ac ar un achlysur, meddai, ildiodd i berswad y gŵr hwnnw a gadael iddo brynu cinio iddo:

> Jennings ... noted that I was getting perceptibly thinner and flimsier, and almost by force he carried me off to a chop house and stood me an exemplary square meal, meat, two vegetables, a glass of beer, jam-roll pudding and a bit of cheese; a memorable fraternal feast.[11]

Rhaid cofio wrth gwrs bod sefyllfa Wells yn dra gwahanol gan fod J. Lloyd Williams wedi ennill cyflog sefydlog ers deunaw mlynedd, a thŷ yn mynd gyda'r swydd. Bellach yn y Tŷ Mawr, Cricieth, cartref ei wraig, yr ymgartrefai.

Erbyn blynyddoedd traean olaf y bedwaredd ganrif ar bymtheg yr oedd y cynnwrf a achoswyd o ganlyniad i gyhoeddi damcaniaethau Darwin wedi distewi a nifer o wyddonwyr blaenllaw yn gefnogol iddynt. Er enghraifft, cyfeiriwyd at Huxley fel 'Darwin's Bulldog' a ffurfiodd ef a'i gyfeillion John Tyndall, Joseph Dalton Hooker, George Busk, Herbert Spencer, John Lubbock a dau arall, fath o Gyfrinfa Fasonaidd Ddarwinaidd a adwaenid fel yr 'X Club'. Ymunodd William Spottiswoode yn ddiweddarach ond ni lwyddwyd i gael degfed aelod er mwyn cael yr 'X' yn gyflawn. Amcanion y clwb ciniawa hwn oedd rhyddhau byd natur o afael diwinyddiaeth adweithiol, rhyddhau gwyddoniaeth oddi wrth nawdd pendefigaidd a gosod offeiriadaeth ddeallusol ar frig celfyddyd y genedl.

Ganed Huxley[12] ar 4 Mai 1825 yn un o saith o blant athro ysgol yn Ealing lle dechreuodd ar ei addysg elfennol yn wyth oed. Symudodd y teulu i Coventry. Nid oes sôn bod y bachgen wedi derbyn unrhyw addysg bellach yn ystod y cyfnod hwn, eithr gwyddys ei fod wedi darllen yn helaeth ar amrywiaeth o bynciau. Yn 1841 aeth i Lundain yn brentis meddyg i'w frawd-yng-nghyfraith ac yn 1842 ymaelododd ym Mhrifysgol Llundain gan ennill ysgoloriaeth yn ystod yr Hydref hwnnw yn Ysbyty Charing Cross. Graddiodd yn M.B. ym Mhrifysgol Llundain yn 1845 ac enillodd fedal aur am ddifyniad a ffisioleg. Ac yntau erbyn hyn yn feddyg cymwysedig anfonodd gais am swydd yn y Llynges Brydeinig ac o ganlyniad apwyntiwyd ef yn ddirprwy lawfeddyg ar yr *H.M.S. Rattlesnake* a oedd ar fin cychwyn ar fordaith môr-fapio'r moroedd rhwng Awstralia a'r Great Barrier Reef. Dychwelodd yn 1850 mewn da bryd ar gyfer agoriad y 'Great Exhibition'. Erbyn hyn, ac yntau'n naturiaethwr saith ar hugain oed a oedd eisoes wedi gwneud enw iddo'i hun gyda chyfres o astudiaethau technegol ar y Chwistrellau Môr, cafodd ei hunan heb waith. Siomwyd ef gan y Prifysgolion, gwrthododd y Morlys dalu iddo am groniclo ffrwyth ymchwiliadau ei fordaith, ac ni fu'r *Royal Society* o gymorth iddo. O ganlyniad teimlai'n ddig tuag at gyfundrefn y dosbarth dylanwadol. Daeth trobwynt ei fywyd yn ystod Tachwedd 1854 pan ddechreuodd ar swydd barhaol yn dysgu yn y *Royal School of Mines.* Canlyniad ei brofiad o ddiweithdra oedd chwerwi ei deimladau tuag at y dosbarth canol *dilettante* dylanwadol a phenderfynodd gynnal darlithoedd ar gyfer lledaenu gwybodaeth wyddonol ymysg y dosbarth gweithiol. Bu'r darlithoedd a ddechreuwyd ymhen blwyddyn yn hynod lwyddiannus a phoblogaidd.

Cyfuniad o ddarlithoedd a gwaith ymarferol yn y labordy oedd cyrsiau bioleg y coleg a thrwy ddylanwad Huxley lledaenodd y dysg newydd i sawl adran fotaneg yng ngholegau'r wlad, wedi eu modelu ar gynllun South Kensington. Ar ôl i Huxley ymddeol yn 1885 llanwyd ei swydd gan D. H. Scott a phan ddaeth John Bretland Farmer i'r coleg yn 1892 roedd yn ymwybodol iawn ei fod yn dod i goleg a oedd yn arwain y ffordd mewn addysg fodern fiolegol ac wedi esgor ar gyfnod newydd mewn gwyddoniaeth. Bu Farmer yn ddylanwad pwysig ar J. Lloyd Williams yn ystod ei gyfnod yn South Kensington a datblygodd cyfeillgarwch rhyngddynt.

Ymddengys bod J. Lloyd Williams yn gyfarwydd â'r coleg cyn hyn fodd bynnag gan iddo fynychu'r Cyrsiau Haf a gynhelid yno:

> Nid wyf yn cofio pa un ai mis ynteu chwech wythnos a barhai pob cwrs; ond dewisid nifer o athrawon ysgolion iddynt, a thelid rhan o'u costau. Yr oedd y darlithiau'n rhagorol; ond mwy newydd a buddiol i ni fel athrawon o'r wlad oedd y gwaith ymarferol a wnaem. Cefais gyrsiau mewn Fferylliaeth, Amaethyddiaeth, a Llysieuaeth a buont o ddirfawr fudd imi. Yn ddiweddarach bûm yn cynorthwyo yn y gwaith ymarferol, a bu'r profiad yn werthfawr iawn i mi.[13]

Fel rhan o weithgareddau'r coleg darperid Cyrsiau Haf o dair wythnos yn flynyddol, tua mis Gorffennaf, mewn gwahanol feysydd gwyddonol ar gyfer athrawon ysgol y wlad. Derbynnid dau gant a hanner o athrawon i'r cyrsiau hyn a chaniateid iddynt docyn rheilffordd trydydd dosbarth ar gyfer teithio i South Kensington ac adref yn ogystal â thaliad o deirpunt yr un ar gyfer eu costau personol.[14]

Byddai J. Lloyd Williams yn llythyru'n gyson (yn Saesneg) gyda'i wraig yn ystod ei arhosiad yn Llundain a gresyn nad oes ond ychydig o'r llythyrau hynny wedi goroesi. Mae'r rheini ohonynt sydd ar ôl wedi eu sgrifennu yn ystod 1895 ac 1896 a'u cynnwys yn ddifyr, ar brydiau yn ddoniol, ond yn bwysicach fyth yn rhoi darlun o hynt a helynt J. Lloyd Williams yn South Kensington. Cyfeiria at ei wraig Betty fel 'My dear old woman' gan gloi pob llythyr gyda'r llofnod 'Jack' yn hytrach na 'John'. Lletyai yn rhif 12, Goldney Road, Paddington. Ceir aml i gyfeiriad ganddo at ei wahanol gyfeillion ymhlith Cymry'r Brifddinas, gweithgareddau'r Ysgol Sul, fel yr oedd wedi dechrau dysgu'r plant i ganu, a chyfeiriadau at ei frawd William a oedd yno yn y coleg ar y pryd. Roedd ei ofid yn amlwg ynglŷn â'i sefyllfa fel gŵr heb swydd barhaol ac roedd yn wastad ar ei wyliadwriaeth am swydd fel athro ysgol nos a fyddai'n dod ag ychydig o incwm iddo ef a'i deulu ond yn bennaf holai sut yr oedd ei fab Idwal, a aned yn Rhagfyr 1894, yn dod ymlaen. Ceir cyfeiriad at ei waith yn y coleg mewn llythyr dyddiedig 25 Hydref 1895:

> The work is still obstinate. Tuesday Mr. Farmer tried to persuade me to give it up as it was too difficult. Yesterday & today however he had changed his tone. "By jo" said he "You'll do it yet". Lets hope I will.[15]

Mae cymal diddorol yn un o'i lythyrau lle mae'n gofyn i'w wraig anfon dau lyfr iddo gyda manylion am leoliad y ddau yn y tŷ:

> I want them for a paper I am writing. One is in the cupboard downstairs and is a greenish olive coloured one called "Hooker's Himalayan Journals". The other is in the sitting room. It is a green one by Darwin and called "The Origin of Species."[16]

Gwnâi ei orau i geisio byw yn gynnil a diwastraff gan ei fod yn ôl pob golwg yn cael yr un profiad â Wells o'i flaen o geisio trefnu ei gyllideb bersonol. Penderfynodd fynd ati i baratoi ei brydau bwyd yn y coleg a phrynodd degell am bum ceiniog, tebot am rôt, cwpan a soser am ddwy geiniog a llwy de a theclyn agor tuniau am geiniog yr un o'r hen arian. Prynodd hefyd de a thun o laeth tew a'r unig anfantais ynglŷn â hyn, meddai, oedd ei fod yn aros i mewn yn y coleg o naw y bore hyd at saith yr hwyr heb gael awyr iach. Mae'n amlwg y buasai pob dimai ychwanegol wedi bod o help iddo yn ystod y cyfnod hwn ond ni lwyddodd, hyd y gwyddys, i sicrhau swydd ran-amser. Mynegodd ei siom mewn llythyr at ei wraig yn Nhachwedd 1895:

> I had a small disappointment this week. I got to hear ... that some

> people were looking for a Teacher of Botany for an evening Class. As soon as I heard I applied and after some time I got a reply which I enclose. You will see from it that another fellow had been there before me. The class met once a week for an hour and a half. Pay 5/- (25c) an hour. This would mean 7/6 (37.5c) a week. I am much afraid that there will be no chance again for such a thing, the teachers having been all secured during the Summer. It would have been funny my going to a Convent to teach Botany wouldn't it.[17]

Yn ystod mis Ionawr 1896 ac yntau wrthi'n ddiwyd wrth ei waith syfrdanwyd ef pan glywodd bod gwyddonydd blaenllaw o'r Almaen yn cynnal archwiliadau i'r un math o wymon ag ef:

> Farmer gave me such a fright yesterday. He burst into the room crying "Williams, I have bad news for you." I turned round to see if he was joking. But no – he looked disturbed … Said Farmer "Strasburger is working at Fucus." This is the common seaweed which I began when at home and Strasburger is one of the best botanists in Europe. So now I have to run a race with this man. I know it is quite useless and I am quite surprised at Farmer wanting me to do it for it is sheer waste of time and nothing else. But for him I would quietly drop the business and go on with something else. The idea of my getting this out before old Strasburger is perfectly ridiculous. However I had to telegraph for gwmon from Bangor and to order a small cask of sea water from the east coast – both arrived today. I have more work than ever on my hands now.[18]

Cynyddai'r pwysau gwaith fel y treiglai'r amser ac roedd y ffaith nad oedd swydd barhaol ganddo ers iddo adael Garn Dolbenmaen yn fwrn arno. Daw hyn i'r amlwg yn ei lythyrau yn gyson. Ar un adeg bu'n ystyried swydd yn yr Amgueddfa Brydeinig gan drafod y posibilrwydd gyda George Murray, un o benaethiaid yr Adran Fotaneg yno, ac meddai wrth ei wraig yn ei lythyr o'r 18 Ionawr 1896:

> He took a great deal of interest in my work on Laminaria and very generously gave me a parcel of specimens of some foreign plants of the order. Of one kind he said there were no specimens in the country but for that he showed me and of these he gave me one. I daresay it might be possible to get temporary work here supposing nothing else turned up. I could not get permanent employment

however as I am over the prescribed age. The pay would be at the rate of £120 a year. That is to say a pound a week for you, a pound for me and the rest for Idwal to play with.[19]

Does dim dadl bod yr Athro Farmer yn ysbrydoliaeth iddo ac yn ei galonogi drwy ddweud: 'This is ripping ... I would not be a bit surprised at you getting the whole business done & very soon.' Sylwer fel y daw hiwmor J. Lloyd Williams i'r amlwg ar brydiau. Yn dilyn ei ymweliad â Southend-on-Sea i gasglu gwymon dywedodd wrth ei wraig ei fod wedi cymryd pum munud ar hugain i gerdded i ben draw'r pier a'i fod bron iawn cyn hired â'r pier newydd yng Nghricieth. Roedd teithiau o'r fath yn hanfodol ar gyfer casglu deunydd i'w harchwilio a derbyniodd £2 gan Farmer ar gyfer talu ei gostau pan ymwelodd â Weymouth. Roedd yn ofynnol cael cyflenwad o wymon ffres yn aml ac roedd yn bwysig cadw'r gwymon yn fyw drwy eu bwydo ond mae'n amlwg bod y gwaith labordy ynghyd â'r mynych deithiau casglu wedi dweud ar ei iechyd ym mis Chwefror 1896: '... my appetite is clean gone ...' meddai ... ' I ate one brechdan to breakfast, one dinner time, one with a little meat at tea time and about half a one to supper.' Teimlai'n wan iawn wrth ddod oddi ar y trên wedi taith gasglu arall a bu'n rhaid iddo orffwyso ond gan nad oes gofnod pellach ar y mater rhaid ei fod wedi atgyfnerthu yn fuan wedyn. O gofio'r pryderon ymysg ei gyd-fyfyrwyr gynt yn y Normal pryd y trefnwyd y daith i Aber er lles ei iechyd roedd llwyr ymroddiad J. Lloyd Williams i'w waith yn amlwg yn poeni ei gyfaill Horrell erbyn hyn hefyd a cheisiai ei annog i fynd allan yn amlach:

> Horrell is at me continually trying to get me to come into the country on half holidays or to come to his lodgings in the evening for a talk but I cannot possibly spare the time.[20]

Roedd y ffaith bod Strasburger yn gweithio ar yr un math o wymon ag ef hefyd yn pwyso ar ei feddwl yn ôl ei lythyr gartref dyddiedig 10 Mawrth 1896:

> Strasburger is still at it. Farmer sent him a letter last week telling him that we were also doing it so I suppose there will be a regular race now.[21]

Erbyn diwedd y mis clywyd bod Bwrdd Pysgodfeydd Yr Alban wedi penderfynu anfon llong ar gyfres o fordeithiau i wneud arbrofion ar y plancton yn y moroedd o gwmpas a bod y Dr. John Murray o Gaeredin yn chwilio am fotanegydd i wneud y gwaith. Eglurodd J. Lloyd Williams bosibiliadau mordaith o'r fath mewn llythyr dyddiedig 21 Mawrth 1896 gan awgrymu'n ddoniol y posibilrwydd o gysylltiad rhwng Murray a theulu ei wraig a gadwai siop gwerthu pysgod:

> I wonder if anyone told Murray that you keep a fish shop. Nothing had been fixed about it. It had been suggested that whoever did the work should get his keep and a sum as pocket money and be paid a further lump sum for his Report in the end. Farmer was keen on my taking it because if I did the work it would be the best possible advertisment I could get to help me to a permanent place. This to a man without a degree is of the utmost importance. It was after voyages of this kind that both Darwin and Huxley became known. Murray further hinted that if the work were well done it might lead to an appointment under the Fishery Board. I told him that I could give no decided answer because I had a wife to consult & I would have to know more about it. He said I would not be at sea the whole time but alternately on board and ashore so that I need not be away from my family for that length of time. He said he would write them for particulars. Yesterday morning he sent a note asking me to come and see him. Dr. Murray had sent to ask if I could come next week for a trip of 10 days or a fortnight to see whether something could be done. All expenses would be paid but no fee. Farmer was against my going as it is so important to [continue work on] Fucus but urged me to go during the Easter Holidays. I told Murray what F. said and he looked very disappointed but asked me what was the earliest day I could leave home. I said the Sat. after Good Friday.[22]

Ni ddaeth dim pellach o'r peth fodd bynnag gan i deligram oddi wrth y Dr. Murray ddweud bod y dyddiadau a oedd yn gyfleus i J. Lloyd Williams yn rhy hwyr.

Ceisiodd Murray berswadio Farmer i'w ryddhau ynghynt ond ni lwyddodd a'r teimlad yn gyffredinol ymysg cyfeillion fel Pace a Horrell oedd bod Farmer wedi ymddwyn yn annheg tuag at J. Lloyd Williams ond nid oes tystiolaeth i unrhyw ddrwgdeimlad godi rhwng Farmer ac yntau o ganlyniad i'r digwyddiad ac ymddengys mai George Murray o'r Amgueddfa Brydeinig a benodwyd fel botanegydd y fordaith.

Un prynhawn ar ddiwedd Ebrill 1896 digwyddai J. Lloyd Williams fod ar ymweliad â'r Amgueddfa a daeth Goerge Murray ato gan ddweud iddo gael mordaith lwyddiannus a gofynnodd iddo a oedd diddordeb ganddo mewn aros nes y byddai digon o arian gan y Bwrdd Pysgodfeydd i barhau eu harchwiliadau morwrol ym mis Ebrill o'r flwyddyn ganlynol. Atebodd J. Lloyd Williams na allai fforddio aros tan hynny ac aeth Murray ymlaen i ddweud am y posibilrwydd bod un o'i staff ar fin cael ei benodi yn Athro Coleg ac y buasai yn gallu cynnig swydd iddo a fyddai'n talu rhwng deg swllt ar hugain (£1.50) a dwy bunt yr wythnos ond er y buasai'n falch o unrhyw waith ar y pryd ymddengys nad oedd yn rhy eiddgar i dderbyn y swydd honno:

> However there was no certainty about it for a little time yet but he promised to let me know as soon as he had something definite. I found him very kind and of course anything will be better than stopping home doing nothing … As for the work I would have to do I wd not care particularly for it still it wd be better than sponging in Criccieth.[23]

Erbyn mis Mai 1896 roedd y papur hir-ddisgwyliedig ar y gwymon *Fucus* wedi ei gyflwyno i'r *Royal Society* gan D. H. Scott ac yn barod i gael ei gyhoeddi. Gwnaed y mân gywiriadau a'r ychwanegiadau terfynol iddo yng nghartref Farmer pan wahoddwyd J. Lloyd Williams i swpera yno un min-nos; roedd yn amlwg erbyn hyn bod y cyfeillgarwch a'r cydedmygedd wedi cryfhau rhwng yr athro a'i ddisgybl.

Er i'r papur *On fertilisation, and the segmentation of the spore in Fucus* gael ei briodoli i '*J. Bretland Farmer, M.A., Professor of Botany at the Royal College of Science, and J. Ll. Williams, Marshall Scholar at the Royal College of Science, London*' dylid cofio mai gwaith J. Lloyd Williams ydoedd ac mai ei arolygu a wnaeth Farmer. Darllenwyd ef gerbron y *Royal Society* ar 18 Mehefin, 1896 a chyhoeddwyd ef yn gyntaf yng nghyfrol 60 o'r *Proceedings of the Royal Society* ac yn ddiweddarach yn ystod yr un flwyddyn yn rhifyn 10 o'r *Annals of Botany.*

Anrhydedd nid bychan oedd i'r papur hwn gael ei ddarllen mewn cyfarfod o'r *Royal Society* ac er bod Farmer a Scott yn aelodau o'r gymdeithas, nid oes gofnod i J. Lloyd Williams erioed fod yn aelod ohoni.

Prif amcan yr adroddiad oedd cyhoeddi canlyniadau archwiliad a wnaethpwyd i broses a oedd yn gysylltiedig â ffrwythloniad öosfferau ac eginiad y sborau mewn tri gwahanol fath o wymon sef *Ascophyllum nodosum, Fucus vesiculosus* a *F. platycarpus.* Datgelir mai ychwanegiad oedd y gwaith at astudiaethau arbenigwyr fel Thuret ac Oltmanns ond ychwanegir nad oedd yr un o'r rhain wedi talu fawr o sylw i batrwm ymddygiad celloedd y niwclei, ac na lwyddwyd ychwaith i weld proses y ffrwythloni. Casglwyd y sbesimenau ar gyfer yr arbrofion ym Mangor, Plymouth a Jersey a chymharwyd y rhain gydag eraill o Fangor, Weymouth a Chricieth. Casglwyd y deunydd yn ystod yr amser rhwng dau benllanw gan osod rhai ar unwaith ar sleidiau microsgop a gadael eraill mewn dŵr heli. Canfuwyd bod y canlyniadau gorau i'w cael o'r rhai a gasglwyd mewn cwch ryw ddwy neu dair awr wedi i'r llanw gyrraedd y planhigyn, a hefyd o blanhigion eraill a gymerwyd ychydig amser cyn iddynt gael eu gadael yn agored yn union wedi'r trai. Sgrifennwyd manylion yr adroddiad yn glir a darllenadwy ar gyfer gwyddonwyr a cheir ynddo esiampl o ddysg drylwyr coleg South Kensington yn y wyddoniaeth newydd ac yn argoel dda o'r hyn yr oedd J. Lloyd Williams i'w gyflawni yn y dyfodol agos. Wrth adrodd y newyddion am y papur mewn llythyr at ei wraig ar 19 Mai datgelir nad oedd yr archwiliad wedi ei gwblhau; mai braslun o bapur yn unig a gyflwynwyd a bod ffurf helaethach arno i ddilyn. Efallai mai'r prif reswm dros ei gyhoeddi oedd i achub y blaen ar Strasburger na lwyddodd i gyhoeddi tan y flwyddyn ganlynol ac aeth Trow mor bell ag awgrymu i syniad yr Almaenwr ddeillio o ddarllen papur J. Lloyd Williams. Beth bynnag am hynny, y Cymro a enillodd y ras.

> The paper is a mere skeleton of a bigger work to come out later on. F. said "I never imagined it would turn out such a big thing". At first it was to be sent to the Journal of Botany then to the Annals – but at last it got to the Royal Soc. – the most honourable place for a paper to be read in this country.[24]

Ganed John Bretland Farmer yn Atherstone, Swydd Warwick yn Ebrill 1865 ac aeth i Goleg Magdalen, Rhydychen yn 1883 gyda lledgymrodoriaeth mewn gwyddorau natur. Yn 1887 llwyddodd i ennill anrhydedd dosbarth cyntaf yn yr *Honours School of Natural Science.* Bu Isaac Bayley Balfour, y *Sherardian Professor of Botany* yno o 1884 i 1888, yn ddylanwad mawr arno ac yn 1887 penodwyd Farmer yn Arddangosydd Botaneg odditano. Parhaodd yn y swydd hon dan olynydd Balfour, sef S. H. Vines, hyd at 1892 pryd yr ymddiswyddodd a gadael Rhydychen am Lundain.

Yn ystod Gaeaf 1892-93 ymwelodd Farmer â'r India a Seilon (Sri Lanka bellach) lle gwelodd ddechreuad y diwydiant rwber a buan y sylweddolodd y problemau biolegol a niweidiol a fyddai'n debygol o godi mewn diwydiannau llewyrchus o'r fath o ganlyniad i haint y rhwd. Dychwelodd Farmer i Brydain gyda'r syniad o ddatblygu adran ar gyfer myfyrwyr i astudio gwyddoniaeth bur a fyddai'n eu paratoi ar gyfer gwaith tramor. Roedd y syniad hwn yn un chwyldroadol a heb ei sylweddoli ar y pryd. Golygai fod biolegwyr yn cydweithio â diwydianwyr planhigfeydd tramorol gwledydd yr Ymerodraeth Brydeinig er mwyn gwella'r cnydau. Ceir cofnod yn rhifyn 45 o adroddiad swyddogol y *Royal College of Science* dyddiedig 1898 fod cyn-fyfyriwr o'r enw William George Freeman wedi bod allan yn Seilon yn cynorthwyo Cyfarwyddwr Gerddi Botaneg Kew ond wedi gorfod dychwelyd i Loegr o ganlyniad i farwolaeth y gŵr hwnnw ac wedi dod â nifer dda o ddefnyddiau ymchwil ar gyfer y labordy gydag ef. Mae'n amlwg bod athrawiaeth Farmer wedi dylanwadu ar Freeman gan ei fod, yn dilyn ennill ei radd B.Sc. yn Llundain a chyfnod fel Arddangosydd Botaneg yn South Kensington, wedi dal swydd gydag Adran Amaethyddol India'r Gorllewin o 1900 hyd at 1903. Yn ystod ei yrfa gweithredodd fel Arolygydd *(Superintendent)* Gerddi Botaneg Trinidad o 1911 i 1917 ac yn Gyfarwyddwr Amaethyddiaeth yno o 1917 i 1929. Nid yw'n wybyddus ymhle yr oedd Freeman yn y blynyddoedd rhwng 1903 a 1911 ond fe anfonodd lythyr at J. Lloyd Williams o Bromley, Swydd Caint, dyddiedig 8 Mawrth 1906, yn gofyn iddo gyfrannu ysgrif i gylchgrawn ynglŷn â'i waith ymchwil ar y gwymon *Dictyota,* gwaith y byddwn yn ymdrin ag ef maes o law:

> You will I hope be glad to hear that "Science Progress" is to rise from its ashes ... largely due to James Murray having undertaken to publish it. He will pay authors at the rate of 10/- [50c] per page of about 400 words ... Could you not write up a general summary of your work on Dictyotacea ...[25]

Yn hwyrach yn ei yrfa cymerodd Farmer ran flaenllaw mewn hyrwyddo datblygiad diwydiant yn rhai o drefedigaethau eraill yr Ymerodraeth Brydeinig, megis y diwydiant cotwm. Yn 1892 gwnaed yr Adran Fotaneg yn South Kensington yn endid ar wahân a John Bretland Farmer oedd yr Athro cyntaf arni.

Roedd diddordebau Farmer a J. Lloyd Williams yn gyffelyb. Hoffai'r ddau grwydro'r mynyddoedd i chwilota am blanhigion Arctig-Alpaidd ac mae'n debyg bod Farmer yn edmygu J. Lloyd Williams oherwydd y modd yr aeth ati i'w addysgu ei hun ym myd natur yn ystod dyddiau ei blentyndod yn Nyffryn Conwy:

> … ceisiodd yr Athro Bretland Farmer fy argyhoeddi i mi ennill rhywbeth drwy'r ymdrechion meudwyaidd hyn na chawswn mohono mewn cwrs colegol. Dywedwn wrtho faint fy nghenfigen wrth yr efrydwyr ieuainc a gafodd hyfforddiant trwyadl yn y prif wyddorau. Trodd arnaf yn chwyrn a dweud, *"Don't be silly. Don't you see that you have given yourself a training more unique and valuable than these book-and-lecture-fed students have received?*[26]

Roedd Farmer yn ddringwr brwdfrydig. Arferai ymweld ag Eryri yn gyson yn ystod gwyliau'r Pasg ac âi i'r Swisdir yn yr haf. Arhosai ym Mhen-y-Pass ac erys tystiolaeth yn llyfr J. M. Archer Thomson ac A. W. Andrews, *The Climbs on Lliwedd* (1909, t.98) iddo gyflawni dringfeydd digon anodd yn Eryri. Dyma atgof amdano gan ei gyfaill A. W. Andrews a fu fel yntau yng Ngholeg Magdalen, Rhydychen:

> Before I climbed with Farmer he had done a good deal in the Alps, particularly in the Combin district with J. Morland and Maurice Bruchez of Val de l'Agice, but he never wanted to climb big peaks, except now and then when some mountain inspired him, but preferred rambling on the hills and studying Alpine plants … When I began to climb with him at Pen-y-Pass he was already a skilled rock climber. He had a long reach and good balance, and above all a fine judgment on the structure of rock and the probable stability of holds, and I learnt a good deal from his habit of testing all doubtful places. As a result we never got into difficulties or had anything approaching an accident.[27]

Yn ystod y blynyddoedd rhwng 1894 a 1914 bu datblygiadau pwysig yn hanes dringo pan welwyd newidiadau o'r hen arferiad o ddringo'r cwterydd drwy nerth bôn braich i ddringo wyneb serth y clogwyn trwy uno sgiliau cydbwysedd a gwneud defnydd o afaelion bychain.

Cyhoeddwyd ffrwyth ymchwil cyntaf J. Lloyd Williams yn South Kensington yn 1894 yn y cylchgrawn *Annals of Botany* (cyf. 8) dan y teitl *The Sieve Tubes of Calycanthus Occidentalis*, planhigyn a blannwyd yn achlysurol mewn llwyni gerddi ac yn perthyn i deulu bychan y *Calycanthus* brodorol o Ogledd America ac Asia.

Ym maes Gwymoneg, fodd bynnag, y gwnaeth ei gyfraniad pwysicaf i wyddoniaeth, tylwyth na chafodd gymaint â hynny o sylw ym Mhrydain fel y tystia J. E. Griffith yn ei gyflwyniad i'r bennod ar algâu môr yn ei *Flora of Anglesey and Carnarvonshire* a gyhoeddwyd tra roedd J. Lloyd Williams yn Llundain. Dywed Griffith mai botanegwyr o gyfandir Ewrop a dalodd y sylw pennaf i ffurfiant a datblygiad organau atgenhedlu yr algâu er pan gyhoeddodd William Henry Harvey ei *Phycologia Britannica* (4 cyfrol, 1846-51). Ychwanegodd Griffith fod fflora môr yr Ynysoedd Prydeinig wedi eu hastudio gan ychydig o algolegwyr gyda'r bwriad o ddarganfod pa rai o rywogaethau'r wlad hon a dyfai hefyd ar arfordiroedd Ffrainc a Norwy. O ganlyniad i'r ymchwiliadau hyn bu newidiadau i ryw raddau yn system dosbarthu'r algâu môr, a hefyd ychwanegwyd tua 170 o rywogaethau i fflora Prydain.[28]

Dywedwyd eisoes mai trwy ddarllen cyfres o erthyglau tra'n blentyn yr enynnwyd diddordeb J. Lloyd Williams yng nghynnyrch naturiol glannau'r môr. Roedd sawl cylchgrawn poblogaidd fel y *Good Words* a *Leisure Hour* ar gael yn ystod y bedwaredd ganrif ar bymtheg wedi eu hanelu at ddarllenwyr deallus, y rhan fwyaf ohonynt o naws foesol a chrefyddol. Nid peth anghyffredin oedd i naturiaethwyr y cyfnod gyfrannu i gylchgronau o'r fath yn anhysbys er mwyn ennill arian poced. Cyhoeddwyd erthyglau a wnaeth argraff ar y J. Lloyd Williams ifanc yn ddiweddarach mewn llyfr o'r teitl *A Year at the Shore.* Awdur yr erthyglau a'r llyfr oedd Philip Henry Gosse (1810-1888), brodor o Gaerwrangon a mab i arlunydd miniaturau celfydd. Roedd Gosse yn awdur toreithiog, ac yn ôl rhai yn aelod o'r *Plymouth Brethren*[29], ond cyfarfodydd y *Brethren* yn Hackney y mynychai ef, ac fel Ffwndamentalydd ceisiodd gymodi Darwiniaeth ag esboniad beiblaidd a chyhoeddodd ei gyfrol *Omphalos: An Attempt to Untie the Geological Knot* yn 1857 i'r bwriad hwn ond derbyniad dirmygus iawn a gafodd y gyfrol hon gan y rhan fwyaf o bobl. Ynddi dadleuai Gosse fod sawl efengylwr yn argyhoeddedig fod daearegwyr wedi camgymryd yn ddybryd o dybio fod i ffosiliau hanes hir yn y byd. Roedd gobeithion uchel gan Gosse am lwyddiant *Omphalos* a chyhoeddodd 4,000 o gopïau ohono i'w gwerthu am 10/6 (52.05c.). Bu raid mathru tri-chwarter ohonynt. Ar y llaw arall roedd llyfrau natur Gosse gyda'u lliaws darluniau lliwgar mor boblogaidd nes ysgogi chwiw o astudio bywyd gwyllt glannau'r môr a dyna'r modd y dechreuodd J. Lloyd Williams ymddiddori mewn gwymon. Bodolai eisoes ddiddordeb mawr mewn casglu cregyn môr yn ogystal â gwymon gan yr ystyrid ffurfio casgliadau o'r fath yn hobi ddelfrydol a sidêt yn enwedig ar gyfer merched. Cyhoeddodd Gosse ei *A Year at the Shore* yn 1865. Mae'n gyfrol o dri chant tri deg tudalen yn cynnwys deuddeg pennod sy'n disgrifio amrywiaeth o naturiaetheg y glannau fesul mis ac wedi ei gloywi â thri deg chwech o ddarluniau lliw. Ar ddiwedd y llyfr cyhoeddodd Gosse ei brotest yn erbyn casgliadau diweddaraf daearegwyr gan eu cyhuddo o hybu anghrediniaeth yn erbyn y 'God which cannot lie'; beirniadaeth lem ar y sawl a oedd yn gefnogol i ddamcaniaeth esblygiad. Yn dilyn y mynegai ar ddiwedd y llyfr neilltuir dwy dudalen ar gyfer hysbysebu wyth o'i lyfrau. Ymhlith y teitlau mwyaf diddorol ceir *Tenby; a Seaside Holiday* a gyhoeddwyd yn 1856 ac sy'n cynnwys cofnodion manwl o ffrwyth ymchwiliadau gwyddonol i ffawna tref glan y môr boblogaidd. Hysbysebwyd ei gyfrol amhoblogaidd *Omphalos* ar yr un dudalen gyda'r esboniad canlynol o'i neges:

> This Work announces and illustrates a grand Physical Law, which, though hitherto unrecognised, is proved to be of universal application in the organic world – the Law of Prochronism in Creation. On this principle the Author shows that the conclusions of geologists as to the great antiquity of the earth are not *inevitable*, – that there is another solution of the facts at least *possible*.[30]

Un mlwydd ar ddeg a fuasai J. Lloyd Williams yn 1865 pan gyhoeddwyd *A Year at the Shore* ac ychydig a feddyliodd, mae'n debyg, y buasai ymhen wyth mlynedd ar hugain yn ymroi at gynnal astudiaethau manwl a thorri cwys newydd ym maes arbenigol yr algâu môr yn un o sefydliadau mwyaf blaenllaw Ewrop.

Yn adroddiad rhif 43, Atodiad C, y *Royal College of Science* dyddiedig 1896 gwelir bod naw o fyfyrwyr wedi mynychu cyrsiau'r astudiaethau uwch gyda thri aelod wedi ymuno'n achlysurol. Cafwyd saith deg o ddarlithoedd ar ddifyniad a morffoleg gan yr Athro Farmer ac wyth ar hugain o ddarlithoedd ar algâu gan Leonard Alfred Boodle, un o'r arddangoswyr. Cafwyd cwrs o arbrofi ar *Vegetable Physiology* yn ystod Mai a Mehefin gydag aml i daith natur allan i'r wlad. Dyfarnwyd medal Forbes ynghyd â nifer o lyfrau am y gwaith gorau mewn bywydeg i Freeman, a grybwyllwyd yn gynharach, a chyhoeddwyd enw J. Lloyd Williams fel un a etholwyd yn Ysgolor Marshall am y sesiwn nesaf. Bu ef a dau arall yn cynorthwyo Farmer mewn cyrsiau botaneg ar gyfer athrawon gwyddoniaeth a gynhaliwyd yn ystod mis Gorffennaf. Dyma'r cyrsiau haf yr arferai J. Lloyd Williams eu mynychu yn ystod ei flynyddoedd fel athro ysgol yng Ngarn Dolbenmaen.

Yn yr adroddiad ar y sesiwn ddilynol, sef rhif 44, gwelir mai un arall o'i gyfeillion sef Ernest Charles Horrell a enillodd fedal Forbes a'r llyfrau, a chofnodir bod J. Lloyd Williams wedi cynnal ymchwiliad i sytoleg a phroses ffrwythloni mewn rhywogaethau o algâu môr ac wedi cyhoeddi ffrwyth yr ymchwil ar y cyd gyda Farmer yn nhrafodion y *Royal Society*. Yr un yw'r gwaith hwn ag a ymddangosodd yng nghyfrol 10 o'r *Annals of Botany* yn 1896 ac yr ymdriniwyd ag ef uchod. Cofnodir papur J. Lloyd Williams ar y Frwynen Fain hefyd, a gyhoeddwyd yn y *Journal of Botany* (1896), yn adroddiad y coleg.

Mae adroddiad rhif 45 South Kensington yn cofnodi J. Lloyd Williams fel 'ex-Marshall Scholar' a chaniatawyd iddo aros am gyfnod ychwanegol er mwyn cwblhau ei waith ymchwil ar sytoleg y gwymon brown. Roedd rhan o'r gwaith hwnnw eisoes wedi ei gyhoeddi ganddo. Dyma hefyd pryd y penodwyd ef yn Arddangosydd mewn Botaneg i Gymdeithas y Cyffurwyr, swydd na pharhaodd ynddi ond dros ychydig amser oherwydd iddo dderbyn swydd gyffelyb yng Ngholeg Prifysgol Cymru, Bangor. Ymddengys mai ei gyfaill Horrell, a oedd ar y pryd newydd dderbyn swydd fel Arddangosydd Cynorthwyol yng Ngholeg Owens, Manceinion, oedd ei olynydd fel Arddangosydd mewn Botaneg i Gymdeithas y Cyffurwyr.

Yn ôl yr ychydig lythyrau rhwng Horrell a J. Lloyd Williams sydd wedi goroesi ymddengys bod y ddau ar delerau da ac wedi mwynhau cwmpeini ei gilydd gyda D. A. Jones allan ar y mynydd fwy nag unwaith. Mae un o lythyrau Horrell, dyddiedig 7 Rhagfyr 1898, yn datgelu darganfyddiad o'r mwsogl prin *Tetraplodon angustatus* a wnaed gan J. Lloyd Williams ar Yr Wyddfa. Cynefin y mwsogl hwn yw gweddillion pwdr anifeiliaid marw ar fynyddoedd ac ni bu cofnod o ddarganfyddiad cyffelyb ohono ers hynny yng Ngogledd Cymru. Meddai Horrell yn ei lythyr: 'Your find of *Tetraplodon angustatus* for Carnarvon was good. It has not been recorded nearer than Scotland. What a demon you are.' Hawdd gweld o ddarllen ei lythyrau diddorol a hwyliog fod Horrell yn dipyn o gymeriad a'i hiwmor yn sicr wedi cryfhau'r cyfeillgarwch rhyngddo ef a J. Lloyd Williams. 'You will doubtless have been thinking me a bounder for [not] writing to let you know how I am progressing in this weary [place] …' meddai, wrth sôn am ei swydd newydd fel Arddangosydd mewn Botaneg i Gymdeithas y Cyffurwyr. 'I have flitted into a large basement room (where Worthington G. Smith works) on account of the smoke from the wretched grate store and found it much more comfortable.' Roedd Smith yn arlunydd planhigion a mycolegydd amlwg ac ef oedd yr arlunydd i'r cylchgrawn *Gardener's Chronicle* am yn agos i ddeugain mlynedd. Erbyn Hydref 1900 roedd Horrell ar fin ymgartrefu yn rhif 49 Stryd Danby yn Peckham:

> You will be interested in hearing that I am now raised to the [?] of a householder, having taken a house near where I am now lodging. My youngest sister is coming to keep house for me. You can imagine what a boon the extra room will be for me with my accumulations of cabinets and plants. We are now busily engaged in purchasing Furniture and carpets & such like. I was sorry not to see you during my stay in Wales but you were so extra busy and Bangor is so far away.[31]

Mae'n debyg mai yn Harlech y bu Horrell yn aros ar yr achlysur yma gan ei fod ymhellach ymlaen yn ei lythyr yn dweud i D. A. Jones ac yntau gyflawni tipyn go lew o waith botanegol. Yna, yn ei ddull doniol ei hun, gofyn i J. Lloyd Williams anfon ato ychydig o wymon ar gyfer eu harddangos i fyfyrwyr:

> I wonder if you can send me a small quantity of living *Fucus,* to show the phenomenon of fertilization. If you can do so without inconvenience I should be glad, & would you also at the same time send me particulars as to how to make the beggars work! I shall want to show them to my Birkbeck students on Monday Oct 15 at 8-10 p.m. If you send me some living Fucus could you arrange so that it will arrive at the Nat. Hist. Museum before 4 p.m. on that day. Don't be mad … I should be glad …[32]

Roedd J. Lloyd Williams wedi dychwelyd i Gymru erbyn diwedd 1897 fel Arddangosydd mewn Botaneg yng Ngholeg Bangor ac er yn rhwymedig i'w ddyletswyddau dysgu dechreuodd hefyd ar ei waith mwyaf adnabyddus gyda'r gwymon. Ac yntau'n parhau heb radd[33] penderfynodd ganolbwyntio ar ei ymdrechion tua'r nod hwnnw ac aeth ati i astudio hanes bywyd un math ar wymon, sef y *Dictyota dichotoma* gan wneud defnydd mawr o'r hyn a ystyriai y 'lab orau'n y byd' sef Culfor Menai.

NODIADAU: Pennod 5

1. J. Lloyd Williams, *Atgofion Tri Chwarter Canrif* iii (Dinbych, 1944), t. 131.
2. V. H. Blackman, *Obituary Notices of Fellows of the Royal Society* v, 1945-48, t.17.
3. David Elliston Allen, *The Naturalist in Britain* (Princeton, 1994), t. 166.
4. Am hanes y Royal College of Science, South Kensington, gweler: *The British Journal for the History of Science* 29, (1996) tt. 435-68: *'Constructing South Kensington: the buildings and politics of T.H.Huxley's working environments'* gan Sophie Forgan a Greame Gooday.
5. H. G. Wells, *Experiment in Autobiography* i (London, 1966), tt. 199-206.
6. Ibid.
7. Ibid.
8. Ibid.
9. Ibid.
10. Ibid.
11. Ibid.
12. Am hanes T. H. Huxley gweler: Adrian Desmond, *Huxley: the Devil's Disciple* (London, 1994), a *Huxley: Evolution's High Priest* (London, 1997).
13. J. Lloyd Williams, Atgofion ... iv (Llundain, 1945), t. 40.
14. Daw'r manylion am weithgareddau'r *Royal College of Science* yn ystod cyfnod J. Lloyd Williams o Adroddiadau 43, 44, a 45 y *Science & Art Dept.*, ac hefyd o *Prospectus* y coleg am sesiwn 1892-93.
15. Ll.G.C., J. Lloyd Williams Eitem 71 (i).
16. Ibid.
17. Ibid.
18. Ibid.
19. Ibid.
20. Ibid.
21. Ibid.
22. Ibid.
23. Ibid.
24. Ibid.
25. Ll.G.C., J. Lloyd Williams, Eitem 143.
26. J. Lloyd Williams, Atgofion ... ii, t. 132.
27. V .H. Blackman, *Obituary Notices* ... t. 27
28. J. E. Griffith, *The Flora of Anglesey and Carnarvonshire* (Bangor, d.d.), t. 219.
29. Ann Thwaite, *Glimpses of the wonderful: the life of Philip Henry Gosse* (London, 2002), t. 114.
30. Philip Henry Gosse, *A year at the shore* (London, 1865), t. 332.
31. Ll.G.C., J. Lloyd Williams, Eitem 143.
32. Ibid.
33. Nid oedd gan y R.C.S. ar y pryd yr awdurdod i roddi gradd; daeth hynny i rym yn ddiweddarach pan ddaeth y coleg yn rhan o Brifysgol Llundain. Er hynny, roedd y diploma arholiadol, ar yr hwn y dyfarnwyd yr Associateship, yn cael ei ystyried yn gyfartal â gradd.

6
Y Blynyddoedd Gorchestol

Roedd y pedair blynedd a dreuliodd J. Lloyd Williams yn y *Royal College of Science* ynghyd â'i gyfnod fel Arddangosydd mewn Botaneg i Gymdeithas y Cyffurwyr yn allweddol ar gyfer ei swydd newydd yng Ngholeg Prifysgol Cymru, Bangor. Pennaeth yr Adran Fotaneg yno ar y pryd oedd R. W. Phillips a fu'n gydfyfyriwr gydag ef yn y Normal flynyddoedd ynghynt. Ond roedd pethau wedi newid ers y dyddiau hynny o ddysgu o'r *text book* yn unig ac ymhyfrydai J. Lloyd Williams fod Bangor yn safle ddelfrydol ar gyfer astudio gwahanol agweddau o fioleg gan fod llystyfiant Alpaidd Eryri a Chalchfaen y Gogarth, heb sôn am amrywiaeth cynefinoedd Môn, mor gyfleus. Manteisiodd ar bob cyfle i ymweld â'i hoff gyrchfannau botanegol naill ai gyda'i fyfyrwyr neu, fel y tystia'i ddyddiaduron, yng nghwmni ei gyfeillion. Yn wahanol i'w gyfnod ef yn y Normal roedd am sicrhau fod ei fyfyrwyr yn elwa drwy gyfuniad o waith maes yn yr awyr agored a gwaith ffisiolegol y labordy. Fel sawl coleg prifysgol arall bryd hynny roedd Bangor yn dysgu'r wyddor newydd o gyfuno darlith ac arbrawf ymarferol yn unol â chynllun arloesol South Kensington.

Erbyn hyn roedd dau o gyn-fyfyrwyr y Normal eisoes wedi sicrhau swyddi fel penaethiaid adrannau biolegol yng Ngholegau Prifysgol Cymru. Pan ymunodd J. Lloyd Williams â staff Phillips ym Mangor calonogwyd Trow yng Nghaerdydd, rhagwelai y byddai'r penodiad yn gaffaeliad mawr o safbwynt hyrwyddo cyfraniad Cymru i'r byd gwyddonol ac meddai yn ei ddull awdurdodol ei hun:

> I hope you are getting on with your work. We must try to make things lively here in Wales for a few years. Yes, Phillips and I are Welshmen and for us the prestige of this University means more than it does to most of the members of the staff of these colleges.
>
> I like to think of you two working away at Bangor as it helps me to keep my shoulder to the wheel. I often envy you the privilege of having another botanist at your elbow if only for the inspiration and

> stimulation for seeing someone else doing the same kind of work.[1]

Ac yntau erbyn hyn dros ei ddeugain oed a heb radd Prifysgol methiant fu ymgais J. Lloyd Williams i sicrhau swydd Athro Botaneg ym Ngholeg Prifysgol Cymru, Aberystwyth yn 1903. Cefnogwyd ei gais am y swydd gan R. W. Phillips, a oedd ar y pryd yn gweithredu fel Prifathro Coleg Bangor dros dro, yr Athrawon J. Bretland Farmer, A. H. Trow, Caerdydd, S. H. Vines, Rhydychen, J. Reynolds Green, Caergrawnt, a D. H. Scott, ac A. B. Rendle, Natural History Museum, South Kensington. Anfonwyd llythyr cefnogol hefyd wedi ei arwyddo gan ddeuddeg o gyn-fyfyrwyr J. Lloyd Williams ym Mangor, pob un wedi ennill gradd B.Sc. Mae'n sicr bod ffyddlondeb a chefnogaeth gadarnhaol ei gyn-fyfyrwyr yn adrodd cyfrolau am boblogrwydd a medrusrwydd J. Lloyd Williams fel athro. Doedd dim dwywaith fod awyrgylch hapus yn bodoli yn Adran Fotaneg Bangor yn ystod y blynyddoedd y bu ef yno a cheir tystiolaeth o hyn mewn llythyr oddi wrth Mary Phillips, un o'r dwsin a arwyddodd y llythyr. Roedd hi ar y pryd yn ddarlithydd cynorthwyol yn Adran Fotaneg Coleg Prifysgol De Cymru a Mynwy, Caerdydd, dan oruchwyliaeth Trow ac mewn llythyr a anfonodd at J. Lloyd Williams i ofyn benthyg rhai o'i sleidiau mae'n lleisio ei hanfodlonrwydd ynglŷn â'i sefyllfa. 'There could not possibly be a greater contrast between the Dept. here & in Bangor', meddai, gan fynd ymlaen i gwyno am ymddygiad Trow tuag ati. Ymddengys mai asgwrn y gynnen oedd y gwrthdrawiad rhwng y modd y dysgwyd Mary Phillips ym Mangor a'r blaenoriaethau a fynnai Trow eu cyflawni. Anogai'r ferch y myfyrwyr i ddarparu'r deunydd arbrofi eu hunain ond nid oedd hynny'n plesio Trow a gredai y dylai'r deunydd fod wedi ei baratoi ganddi yn barod rhag gwastraffu amser ac yn ôl Mary byddai'n lleisio ei anghymeradwyaeth yn ddigon anghwrtais. Arllwysodd ei rhwystredigaeth gerbron ei hen athro yn ei llythyr:

> ... surely the students ought to do things, not see ... The Dept. is getting on my nerves and the sooner I leave the better. Twice Dr. Trow has been extremely rude to me before a large class [and] told me the students were wasting their time because I was letting them cut sections for themselves instead of seeing preparations & so on ... And quite the worst of it is that the students dislike the botany so, they are so perplexed with details of a level that mean nothing at all to them that they don't even grasp fundamental facts of distinction. Then I am blamed.[2]

Er nad oes dystiolaeth pendant mae'n ddigon posib bod J. Lloyd Williams wedi ymateb yn ddiplomyddol i sefyllfa Mary Phillips ac ymddygiad haearnaidd Trow tuag ati ond yr unig gyfeiriad pellach ar y mater oedd un cymal yn llythyr Trow at J. Lloyd Williams yn Nhachwedd 1904:

> I know you are anxious to hear how your pupil is getting on. I am not going to satisfy your curiosity just now. I am in a state of suspended judgment. I have given Miss Phillips a great deal of latitude so that she may be able to steer her own course. It is early yet to say whether she will run on the rocks or not.[3]

O bwyso a mesur digwyddiadau o'r fath hawdd deall y berthynas o ffydd ac ymddiriedaeth a ddatblygodd rhwng J. Lloyd Williams a'i fyfyrwyr ym Mangor ac a oedd i barhau am un mlynedd ar ddeg arall.

Gŵr yn enedigol o Henffordd ac a raddiodd yng Nghaergrawnt oedd Richard Henry Yapp,[4] yr ymgeisydd llwyddiannus yn 1903, a bu'n dal Cadair Botaneg Aberystwyth cyn symud i'r *Queen's University*, Belfast, yn 1914. Cyn iddo ddod i Aberystwyth bu'n fotanegydd ar gyrch a drefnwyd gan Gaergrawnt i Daleithiau Malaya a Siam yn 1899-1900, a chan mai ecolegydd ffisiolegol ydoedd mewn gwirionedd, ei brif ddiddordeb tra yng Ngheredigion oedd y morfeydd lleol a chyhoeddwyd ei waith arloesol ar aber afon Dyfi yn y cylchgrawn *Journal of Ecology* yn 1916.

Roedd y papurau a gyhoeddodd J. Lloyd Williams ar y cyd gyda Bretland Farmer ar y gwymon *Fucus* yn cael eu hystyried yn glasuron a thra roedd yn cynnal ei archwiliadau i'r rhywogaeth hon dechreuodd sylwi ar fath arall o wymon brown a ddaeth ag enwogrwydd byd eang iddo yn y man sef y *Dictyota dichotoma.*

Yn 1897 yn dilyn arsylliadau manwl gwelodd J. Lloyd Williams yn ddigamsyniol ryddhad y sbermau symudol o antheridia'r[5] *Dictyota dichotoma,* a math arall o wymon sef *Taonia atomaria*, a thrwy hynny llwyddodd i ddatrys problem a fu'n achosi cryn benbleth i sawl gwymonegwr. Cyhoeddwyd y darganfyddiad mewn adroddiad cynhwysfawr ar ffurfiant a symudoldeb antherosoidau[6] yn rhifyn xi, Rhagfyr 1897, o'r cylchgrawn *Annals of Botany.* Cyn 1891 y gred yn gyffredinol oedd bod sberm y *Dictyota* yn ansymudol ond yn ystod y flwyddyn honno sylwodd Thomas Johnson, Arddangosydd yn y *Royal College of Science* o 1885 i 1890 cyn symud i swydd gyffelyb yn Nulyn, fod sbermau math arall o wymon, y *Dictyopteris,* yn dangos ambell symudiad ac yn awgrymu bodolaeth organau ymsymudol ond ni lwyddodd i brofi hynny'n bendant.

Cyhoeddodd J. Lloyd Williams ganlyniadau ei brif waith dan y pennawd *Studies in the Dictyotaceae* mewn tair rhan yn yr *Annals of Botany* yn 1904 (xviii) a 1905 (xix). Ynddynt mae'n disgrifio hanes bywyd y rhywogaeth yma o wymon gan ddangos sut mae cyfnodoldeb y llanw yn dylanwadu ar ryddhau'r gametau. Profodd bod uchafswm yr antherosoidau a ryddhawyd yn digwydd ar ddiwrnod arbennig neu weithiau ddau neu dri diwrnod yn dilyn penllanw uchaf Hydref. Golygai astudiaethau o'r fath ei fod yn creu yn ei ystafell ymchwil amodau llanw a thrai i gyfleu symudiadau'r môr. Gwyliai'n ddyfal o dymor i dymor, ddydd a nos yn olynol yn aml, nes llwyddo yn y diwedd i brofi'r modd yr oedd y gwymon yn atgenhedlu.

Darllenwyd papurau J. Lloyd Williams gyda diddordeb mawr gan W. D. Hoyt, gwymonegwr o'r U.D.A., ac anfonodd lythyr ato. Roedd Hoyt wedi sylwi ar gyfnodoldeb cyffelyb yn y *Dictyota dichotoma* yn North Carolina, a chyhoeddodd adroddiad o ganlyniadau ei archwiliad yn y *Botanical Gazette* yn 1907 gan gyhoeddi papurau pellach yn 1927 a 1929. Yn ôl Hoyt y gwahaniaeth rhwng planhigion North Carolina a Phrydain oedd bod egwyl o fis ac nid pythefnos rhwng yr adegau pan oedd cnydau'r organau rhywiol yn ffurfio. Er bod y llythyr yn anghyflawn a heb ddyddiad mae'n ddiddorol sylwi bod Hoyt wedi cysylltu â J. Lloyd Williams o'r *John Hopkins University*, Baltimore, yn gofyn cyngor ar bapur a oedd ar y gweill ganddo:

> I expect to present a preliminary paper on this subject before the A.A.A.S. at Christmas in the hope of inducing other American Botanists to commence observations on this form. It seems that only by a number of observations at different places for long periods of time and a careful comparison of conditions can we hope to understand this remarkable behaviour.
>
> Should you care to try to exchange living sexual plants with me next summer? It may be that we can devise some way of shipping them alive, and in view of the differences exhibited by your plants and mine, I should greatly like to try the effect of a change of conditions.
>
> I expect to continue this study next summer and shall be greatly

Sbesimen o *Dictyota dichotoma* a gasglwyd gan yr awdur ac W. Eifion Jones o Gulfor Menai.
Llun: Yr awdur.

> obliged if you can spare some reprints of your papers. I shall also greatly appreciate any suggestions that you may care to give.
>
> I hope to return to Beaufort next summer and to continue observations on Dictyota along the lines suggested in your article in the last number of Annals of Botany. If you can give any further suggestions for my guidance, I shall be greatly obliged to you. I shall be glad to have your articles before me and I shall appreciate it if you can send me reprints of them.[7]

Yn dilyn ei ddarganfyddiad pwysig yn 1897 o antherosoidau symudol derbyniodd J. Lloyd Williams grantiau gan y *British Association* am bedair blynedd yn olynol ar gyfer parhau gyda'i waith ar y gwymon. Roedd digonedd o ddeunydd wrth law ar gyfer cynnal astudiaethau ym Mangor nid yn unig drwy fod y Fenai mor hwylus oherwydd ei dau lanw dyddiol (mae hynny'n wir am arfordir Cymru gyfan), ond am fod dŵr isaf y penllanw yn digwydd yn gyson yn ystod y bore a'r gyda'r nos a thrwy hynny yn hwyluso'r gwaith o gasglu'r gwymon. Lawr yn Nhŷ Ddewi, er enghraifft, digwydd hyn am tua hanner dydd a hanner nos. Yn ystod y cyfnod hwnnw pan ganolbwyntiai botanegwyr ar geisio deall eiledidd cenedlaethau[8] mewn planhigion tal roedd y syniad y gallai proses gyffelyb, ond gyda rhythm a chydbwysedd mwy perffaith fyth efallai, fodoli mewn organebau mor isel a'r algâu yn sialens i'w dderbyn.

Planhigyn unflwydd digon cyffredin yw'r *Dictyota dichotoma* sy'n egino yn ystod yr haf yn y wlad hon, yn aros yn fach drwy'r gaeaf ac yn tyfu'n gyflym ym Mehefin gan ddechrau ffurfio celloedd atgynhyrchu ym mis Gorffennaf. Mae gwymon arall sydd ag enw tebyg iddo, y *Dictyopteris*, yn brinnach a mwy lleol ei ddosbarthiad ac ni ddylid ei gymysgu â'r *Dictyota.* Eglurodd J. Lloyd Williams fel yr oedd y celloedd rhyw yn dangos cyfnodoldeb hynod gyda ffurfiad, aeddfediad a rhyddhad pob cnwd yn parhau am bythefnos yn ystod yr ysbaid rhwng dau benllanw mawr. Mae'r sorws[9] yn ffurfio yn ystod llanw isel a'r celloedd yn cael eu rhyddhau yn ystod neu yn union wedi'r penllanw uchaf. Ar yr adeg yma, tra mae'r gametau[10] benywaidd heb amddiffyniad, atynant yr antherosoid yn gryf ac yn dilyn ffrwythloni eginant ar unwaith. Roedd y diddordeb yn yr antherosoid wedi ennyn diddordeb algolegwyr o wledydd eraill ar y pryd ac er mai'r Ffrancwr Camille-Francois Sauvageau sy'n hawlio'r clod am fod y cyntaf i gyhoeddi disgrifiad o'r gametoffyt[11] gwnaeth J. Lloyd Williams yr un darganfyddiad yn gyfamserol.

Yn ôl Margery Knight, awdures ysgrif goffa J. Lloyd Williams a ymddangosodd yn rhifyn 158 (1945-46) o'r *Proceedings of the Linnean Society of London,* darllenwyd papur o'i eiddo ar fodolaeth symudoldeb antherosoidau'r *Dictyota dichotoma* mewn cyfarfod o'r *British Association for the Advancement of Science* a gynhaliwyd yn Toronto, Canada, yn 1897. Yn fuan wedi iddo anfon y papur drosodd sylweddolodd ei fod wedi cam-ddisgrifio'r antherosoidau drwy ddweud mai un ciliwm[12] oedd iddynt yn lle dau. Cyrhaeddodd y frysneges a anfonodd er mwyn cywiro'r camgymeriad yn rhy hwyr a'r canlyniad oedd i'r gwall gael ei gynnwys yn argraffiad cyntaf y papur: 'Professor Lloyd Williams used to point the moral to his students by referring to himself as the man who rushed precipitately into print with one cilium attached instead of two', meddai Margery Knight. Cytuna gwymonegwyr nad yw'n hawdd gweld yr ail giliwm ar antherosoid y *Dictyota dichotoma* hyd yn oed gyda'r microsgopau diweddaraf a gellir tybio ei bod yn dasg lawer mwy anodd yn 1897.

Ddwy flynedd yn ddiweddarach (*Annals of Botany* xiii) cyhoeddodd J. Lloyd Williams adroddiad am ei lwyddiant trawiadol o greu croesryw rhwng rhywogaethau'r ddau wymon *Ascophyllum* a *Fucus*. Hyd y gwyddys ni chyflawnwyd unrhyw arbrofion pellach i ymhelaethu ar hyn er ei bod yn wybyddus ymhlith gwymonegwyr cyfoes bod ambell rywogaeth o'r *Fucus* yn croesrywio dan amgylchiadau arbennig. Yr hyn a'i harweiniodd i ddechrau'r gyfres hon o arbrofion oedd darganfod yng Nghulfor Menai blanhigyn ac iddo nodweddion y ddau uchod ond bod yr hadgelloedd yn cynnwys antheridia yn ogystal ac öogonia.[13]

Yn ôl cyfansoddiad y *British Association* prif amcanion y sefydliad oedd rhoi ysgogiad cryfach a chyfeiriad mwy systemataidd i ymchwiliadau gwyddonol; hyrwyddo cyfathrach gyda'r sawl oedd yn meithrin gwyddoniaeth mewn rhannau eraill o'r Ymerodraeth Brydeinig a chyda gwyddonwyr gwledydd tramor; denu sylw yn gyffredinol at uchelgais gwyddoniaeth a dileu unrhyw anfantais a fyddai'n debyg o fod yn rhwystr i gyrraedd y nod yn llwyddiannus.

Cynhaliai'r Gymdeithas gynhadledd flynyddol dros wythnos neu ragor mewn gwahanol leoedd ac yn dilyn Toronto yn 1897 daeth enw J. Lloyd Williams yn adnabyddus trwy Brydain a thu hwnt fel gwymonegwr a oedd wedi cyflawni gwaith arloesol mewn Sytoleg. Tyst i hyn yw tystiolaeth yn adroddiadau'r *British Association*, a ffynonellau eraill, iddo ddarlithio ym Mryste yn 1898, Dover 1899, Bradford 1900, Southport 1903, Dundee 1912, Southport 1914 a Chaerdydd yn 1920. Ef hefyd oedd Llywydd Adran K (Botaneg) yng Nghynhadledd Southampton yn 1925.

Cyn cynhadledd Southampton derbyniodd J. Lloyd Williams lythyr oddi wrth D. H. Scott, y palaeofotanegydd a'r awdur toreithiog a fu'n ddarlithydd yn y *Royal College of Science* o 1884 i 1892 ac yna'n Geidwad Anrhydeddus y *Jordell Laboratory*, Kew, hyd at 1906, heb sôn am fod yn Llywydd y Gymdeithas Linneaidd a'r *Royal Microscopical Society* am flynyddoedd. Scott a gyflwynodd bapurau Bretland Farmer a J. Lloyd Williams i'r *Royal Society* yn 1896 ac 1898 ac mae ei lythyr yn dystiolaeth o edmygedd un o wyddonwyr mwyaf blaenllaw y cyfnod tuag at y Cymro:

> I have just heard, to my great joy, that you are to preside over our Section at Southampton. I am very glad, not only because it is a just recognition of your brilliant & long continued work, but because it

is a good thing for Botany. I hope you will give us a good time with the Algae.[14]

O ddarllen llythyrau J. Lloyd Williams mae'n amlwg bod gan ei hen ddarlithydd o'r *Royal College of Science* feddwl uchel ohono hefyd. Ysgrifennodd ato i Fangor ar ddechrau 1900 yn ceisio ei gymell i ystyried derbyn swydd yn Llundain:

> ... when you went to Bangor I half promised that if you were of that mind, & Freeman obtained a post elsewhere, I would offer you the chance of returning to town ... it is extremely likely (tho' not certain) that I shall lose him shortly, & I want to know whether, in that event, you would like to have the Demonstratorship with me. It is worth £150 a year ... I should tell you that it is not impossible I may myself leave London before the end of this year, & I would not recommend you to take the post unless I could ensure its being a permanency in the event of someone else (other than yourself) succeeding me if I do go. But before making any enquiries I should like to learn ... as to what you would do in case of either of the possible contingencies (relating to Freeman & myself) happening. Please don't mention these things to anyone as there is no certainty at present ... & I don't want a lot of rumours to get about.[15]

Ond parhau yn ei swydd fu hanes Farmer nes iddo ymddeol yn 1929 ac, fel y gwelsom yn gynharach, gadael Llundain am swydd yn India'r Gorllewin fu hanes Freeman.

Gan fod cymaint o ddiddordeb mewn Sytoleg[16] yn bodoli ymysg algolegwyr ar y pryd creai hynny elfen gystadleuol rhyngddynt ac ar brydiau byddai dau yn ceisio datrys yr un problem heb yn wybod i'w gilydd. Cyd-ddigwyddiad mae'n debyg oedd bod Sauvageau a J. Lloyd Williams wedi darganfod y gametoffyt ar yr un pryd, a bod Strasburger hefyd yn gweithio ar y *Fucus* yn 1896, ond yn 1900 codwyd gwrychyn Bretland Farmer pan glywodd bod yr Americanwr David M. Mottier ar fin cyhoeddi ffrwyth ei waith ymchwil ar sytoleg y *Dictyota dichotoma,* yr union bwnc y gweithiai J. Lloyd Williams arno, ac mewn llythyr o'r *Royal College of Science* dyddiedig 7 Ebrill meddai:

> I am very much afraid from what I can learn that Mottier is cutting right across your street – didn't you let him know you were working on the cytology of Dictyota? ... his paper will be published in the

> June Annals [*Annals of Botany*]. If you told him what you were doing I think he ought to be rather ashamed of himself ... I don't see what you can do unless you send the paper to a German periodical. I think you ought to make an effort not to be [relieved] out by Mottier if possible.[17]

Mae'n amlwg bod Bretland Farmer am waed Mottier gan ei fod mewn llythyrau pellach at J. Lloyd Williams yn sôn am 'the shame of Mottier to have tried to scrape off the cream – I hope the Lord will deliver his hand', a hefyd mewn llythyr yn dilyn cyhoeddi'r papur ym mis Mehefin: 'Have you seen that fellow Mottier's paper – I hope you'll be able to catch him out.'

Roedd David M. Mottier ar y pryd yn Athro Botaneg ym Mhrifysgol Indiana, U.D.A., a chyhoeddodd ei bapur yn rhifyn xiv o'r *Annals of Botany* yn 1900 dan y teitl *Nuclear and Cell Division in Dictyota dichotoma* gan ddechrau gyda chyfaddefiad, fwy neu lai, mai papur J. Lloyd Williams, a gyhoeddwyd yn 1897, oedd bennaf i gyfrif am ennyn ei ddiddordeb presennol yn y *Dictyotaceae:*

> The discovery, in 1897, of motile antherozoids in *Dictyota* and *Taonia* by Williams ('97) has aroused a new interest in the *Dictyotaceae* from the standpoint of evolution, and my own observations will show, I think, that in the tetraspore mother-cells of this plant we have a rather favourable object for a study ...[18]

Eithr nid un i roi'r ffidil yn y to oedd J. Lloyd Williams ac aeth ati yn bwyllog a systemataidd i gyflawni ei brif waith. Nid oes lle i gredu fod Mottier wedi cyhoeddi ffrwyth unrhyw ymchwiliadau pellach ar y pwnc. Yn 1903 yn *The New Phytologist* cyhoeddodd J. Lloyd Williams grynodeb o'i ddarlith *Alternation of Generations in the Dictyotaceae,* a draddodwyd gerbron cyfarfod o'r *British Association* yn Southport, ac ynddi gwelir ei fod wedi cyfeirio at bapur Mottier gan ddweud:

> Mottier has already described the reduction division and most of the other mitosis in the asexual plant, but he has not examined the cytology of the germinating spore or of the sexual plant.[19]

Mae'n debyg bod darllen hyn wedi rhoi mawr fwynhad i Bretland Farmer o gofio iddo ddweud yn ei lythyr at J. Lloyd Williams ei fod yn obeithiol y gallai ddal Mottier allan.

Yn 1904 derbyniodd J. Lloyd Williams grant gan Gyngor y *Royal Society* er mwyn parhau gyda'i waith ar y *Dictyotaceae* a llwyddodd y *Royal Microscopical Society* i gael bwrdd iddo yn y *Marine Laboratory* yn Plymouth. Mae un o'r llythyrau a anfonodd adref at ei wraig, sy'n adrodd hanes ei daith lawr i Plymouth, yn werth ei ddyfynnu:

> I had a pleasant journey yesterday from Chester to Bristol although the train was very full – it was a quarter of an hour late starting from Shrewsbury, but it made up the time on the way ... arrived in Plymouth very late and found that neither Bike nor Portmanteau had come ... The guard said that only a third of the Bristol luggage had come ... when the next train came I thought there was nothing for me but after a lot of trouble I found my Bike, how it came undamaged I don't know. I have not seen my Portmanteau yet. I gave the officials a description of it ... there were lots of people doing the same thing. To make matters worse all this was at a station on the outskirts of the town. I had to walk through the rain through the back streets to discover the business parts. It was useless looking for lodgings so I went to a Temperance. I'll tell you more of my adventure again – but I'm not going to take a long journey Bank Holiday time again. Saturday morning. Another day of pouring rain – I went to find the Lab. It is a fine building on the seafront, my table overlooks the bay and there is a big Torpedo boat Destroyer right in front. The Seafront here is very fine ... My box had arrived here yesterday. After seeing the place I went to secure lodgings. I was advised not to try for private apartments until after Bank Holiday week. There was a gentleman working here during the week – he is leaving today so for next week I have taken his room at the Waverley Temperance, Plymouth. I have a beautiful room ... big and well furnished and I get Breakfast and tea, and sandwiches to take with me to the Lab. – the charge will be 5/- [25c.] a day. In the meantime I shall be able to look about me and try and discover a cheaper place. I am going now to the other station to see if my bag has arrived ... North Road 12 o clock Bag alright – it had been to Truro and back – I am now waiting for a train to take me to the other station (one penny) – when I shall be ready to start work. ... the boat is already out dredging stuff for me. I have a key which will enable me to get into the Lab at any hour day or night – Sunday or Bank Holiday – I

have to post before 3 so Tata – Love and kisses to all – remember to write tomorrow without fail. / Your loving – Jack –[20]

Labordy Môr Plymouth oedd y cyntaf o'i fath yn Lloegr.[21] Er bod dau o rai bychain wedi bod yn gweithredu yn Yr Alban ers rhai blynyddoedd digon difater oedd y Llywodraeth ynglŷn â'r manteision a gaed o noddi unrhyw ymchwil i wyddor Bioleg Môr. Byddai'r *British Association* yn rhoi grantiau'n achlysurol at ymchwiliadau i'r pwnc a chafwyd canlyniadau defnyddiol ohonynt. Cynhaliwyd Arddangosfa Pysgodfeydd yng Nghaeredin yn 1882 ac o ganlyniad neilltuwyd £3000 ar gyfer astudio rhai o bysgodfeydd Yr Alban. Er mai gwan oedd y diddordeb mewn sefydlu Gorsafoedd Môr yr oedd y gofyn am ddeddfwriaeth o safbwynt economaidd yn cynyddu gan yr Aelodau Seneddol a gynrychiolai'r porthladdoedd pysgota. Flwyddyn yn ddiweddarach bu'r Arddangosfa Bysgod Ryngwladol a gynhaliwyd yn South Kensington yn agoriad llygad i'r cyhoedd. Ymhlith y lliaws arddangosion roedd 400 o boteli yn cynnwys amrywiaeth o ffawna Bae Naples, casgliad o bysgod o'r India, casgliad anferth o folysgiaid a chramenogion o'r Unol Daleithiau a gwahanol offer pysgota o Hull a Grimsby. Cynigiwyd gwobrau am draethodau ar bynciau pysgodfeydd ac enynnwyd trafodaeth drwy gynnal cynadleddau a darlithoedd. Bu'r holl weithgareddau yn llwyddiant ysgubol a daeth yn amlwg mor wan oedd arddangosion Prydain o safbwynt gwyddor Sŵoleg o'i chymharu â'r Unol Daleithiau a rhai o'r gwledydd Ewropeaidd. Yn ystod blwyddyn yr Arddangosfa ymosododd Edwin Ray Lankester, Athro ym Mhrifysgol Llundain ar y pryd, yn chwyrn ar y Llywodraeth mewn anerchiad i'r *British Association* ac wedyn mewn ysgrif i'r cylchgrawn *Nature* yn 1885. Darlith Lankester oedd y fagnel gyntaf i gael ei thanio yn yr ymgyrch i sefydlu Labordy Môr a derbyniodd ei erfyniad am gefnogaeth y Llywodraeth sylw mawr. Ar ddiwedd yr Arddangosfa yn Hydref 1883 llwyddodd Lankester i sicrhau llofnodion nifer o naturiaethwyr blaenllaw, ac eraill, ar gofnod i'w roi gerbron Cyngor Gweithredol yr Arddangosfa er mwyn cefnogi galwad y *British Association* am gyfraniad o'r elw ar gyfer sefydlu labordy. Cyhoeddwyd y cofnod yn *The Times* ar 30 Hydref ond ni fu'r cais yn llwyddiannus. Gan ei gyfaill Albert Gunther, y pysgodegwr, y cafodd Lankester y syniad o geisio sefydlu cymdeithas Fioleg Môr. Mewn ystafell a fenthyciwyd gan y *Royal Society* cynhaliwyd cyfarfod o wyddonwyr a gwerthwyr pysgod ar y 31 Mawrth 1884 a roddodd gychwyniad i'r *Marine Biological Association,* neu yr *M.B.A.* fel y'i gelwid, a symudwyd ymlaen i osod y sylfeini ar gyfer y prif nod, sef cael labordy Bioleg Môr. Derbyniwyd symiau da o arian gan sawl unigolyn a Chymdeithas ac o'r diwedd cytunodd y llywodraeth i roi swm cychwynnol o £5000 gydag addewid am gyfraniadau o £500 yn flynyddol. Bu Torquay a Weymouth dan ystyriaeth fel safleoedd delfrydol ar gyfer yr orsaf fôr newydd ond wedi i'r *Inspector-General of Fortifications* gynnig safle addas yn Plymouth a chynghorion y brodyr Bayley, a oedd yn gefnogwyr hael i'r *M.B.A.,* penderfynwyd adeiladu ar Citadel Hill sy'n edrych i lawr dros gulfor Plymouth. Ymgynghorodd Lankester â'i gyfaill, yr Almaenwr Anton Dohrn a oedd wedi bod yn flaenllaw yn sefydlu'r labordy môr ym Mae Naples, ynglŷn â'r saernïaeth ac agorwyd yr adeilad yn swyddogol ar 30 Mehefin 1888. Lankester oedd Llywydd yr *M.B.A.*, swydd y bu ynddi am weddill ei oes ac ef hefyd a awgrymodd yr angen am gwch neu long ar gyfer y gwaith o dreillio er mwyn sicrhau defnydd i'r gwyddonwyr ei archwilio. Ym mis Ionawr 1895 cymerwyd yr awenau gan E. J. Allen, Llywydd y *Plymouth Marine Laboratory* pan ddaeth J. Lloyd Williams yno yn 1904. Mae'n amlwg o ddarllen ei lythyrau ei fod wedi ei fwynhau ei hun wrth ei waith ac wedi gwneud cyfeillion yno. Meddai mewn llythyr at ei wraig ychydig cyn i'w amser yno ddod i ben:

> ... I cannot tell you how I long to see you. Are you coming to fetch me – if so you must decide immediately, for my time is up tomorrow week ... The people in this Lab. are urgent upon me to remain longer as my work is really only beginning to bear fruit – they say they won't charge me anything if I stay longer than the month. ... I am tired of being away and of spending money – although I could do a lot of good work here yet. ... work is accumulating rapidly and I find it most difficult to get through all the material before it gets bad. I don't think I can manage to go to Sidmouth – it is extra expense and now that it is so near the time to come home I do not seem to have any time spare from the work here – it is a great pity too for there is one plant of which I have not had a scrap here and I wanted it particularly to beat the Yankees.
>
> On Sunday I worked till 1.0 then went up into Dartmoor to visit Mr Pace [?] ... Yelverton is an exceedingly delightful place on the top of a high moor ...
>
> Pace has been married 8 months. His wife has had University

Education & has done some research but I should prefer to have my house kept for me by some one else – they have no servant. I found them exceedingly hospitable and agreeable but not "ryfath a ni rwan". They tried to be free but at the same time wanted to be a little superior. Mrs Pace's two sisters were there staying for a short time "ac mae'r tair yn ddewedog – yr oedd hi'n reit berig yno." We went to the top of one of the 'Tors' … I was told that Princetown, the great Convict prison was just over the nearest hill.

I went nowhere yesterday but was in the Lab the whole day till 10 at night and afterwards stopped up late to write my notes … I shall go to the River Yealm at 4 by train and do an hour's dredging – it will probably be the last chance to do any work there as the Spring Tides are commencing so I shall bring the dredge away and bid William Leonard good bye – poor chap he cannot quite understand my troubling such a lot about 'weeds' as he calls them but he is too polite to say so. He and I have been to get 10 times as much as the steamer though … Tell Idwal and Geraint I was very glad to get their letters. Tell them I saw some submarines yesterday passing through the Bay in front of my window.

Wel wyt ti am ddwad – gad imi wybod … £1.9.0 ydi'r Excursion fare o Fangor dwn i ddim faint ydi o o Griccieth. Drettiai di? Wel gwnaf debyg …

Your loving

Jack.[22]

O ystyried ei lythyrau o Plymouth at ei wraig mae'n amlwg fod J. Lloyd Williams yn dyheu am gael dod adref er ei fod wedi gwneud cyfeillion newydd yno. Roedd ei gyfaill 'Mr Pace' wedi bod yn yr un dosbarth ag ef yn South Kensington a'r ddau wedi parhau'r cyfeillgarwch ac roedd y cychwr lleol William Leonard ac yntau wedi cydweithio'n gytûn gan lwyddo i godi mwy o wymon na Stemar y Labordy.

O gofio'r digwyddiad yn ystod ei gyfnod yn South Kensington pan leisiodd Bretland Farmer ei bryder a'i anfodlonrwydd ynglŷn ag ymyrraeth Mottier yng ngwaith J. Lloyd Williams mae'n debyg mai hwnnw oedd un o'r 'Yankees' y cyfeiriodd atynt fel y rhai yr oedd am gael y gorau arnynt ond roedd gwymonegwr arall hefyd yn brysur yn yr America yn dilyn yr un trywydd ar wahanol fath o wymon, fel y cawn weld maes o law. Pace oedd yn dal swydd yr *Assistant Naturalist for Invertebrates* yn Plymouth ar y pryd tra'r astudiai ei wraig y *Polyzoa,* yr anifeiliaid bychain sy'n ffurfio crystyn dros greigiau ac ar wymon hyd lannau môr. Ymadawodd Pace â Plymouth pan dderbyniodd swydd Cyfarwyddwr yn Labordy Môr Millport ar y Clyde.

Yn dilyn cyhoeddi ei brif waith ar y *Dictyotaceae* yn 1904-05 daeth enw J. Lloyd Williams yn fwy adnabyddus ar raddfa ryngwladol ac ar derfyn ei drydydd papur mae'n cydnabod ei ddyled i'r gwahanol sefydliadau a'r unigolion a fu o gymorth iddo:

> I gratefully beg to express my obligation to the Council of the Royal Society for giving me a grant of money to enable me to carry on my study of the Dictyotaceae on the South Coast, and also to the Royal Microscopical Society for nominating me to their table in the Marine Biological Laboratory at Plymouth. To Dr. Allen, the Director of the latter institution, and his assistant, Mr. Smith, I also wish to express my deep obligation for their unfailing courtesy and their readiness to place the resources of the establishment at my disposal. It is a matter of surprise that so few algologists take advantage of such a well-equipped and admirably conducted station.[23]

Talwyd teyrnged i J. Lloyd Williams gan gyfeillion fel Trow o Gaerdydd a Phillips o Fangor a hefyd gan wyddonwyr blaenllaw o'r Almaen, gwlad a oedd yn enwog am fagu gwyddonwyr o'r safon uchaf. Mewn llythyr ato dyddiedig 11 Ionawr 1907 gan ferch un ohonynt a drigai ar y pryd yn Wimbledon ceir y deyrnged ganlynol:

> I heard this morning from my Father & translate from his letter written as usual in German.
>
> "Only a short time ago I was able to speak with Professor Go'bel about the pamphlets of Mr. Lloyd Williams. It appears (or shows itself) that the works of Mr. Lloyd Williams are well valued in Germany. Mr Williams is counted an authority on his subject. Prof Go'bel showed me the newest great German work on the Algae: "Morphology & Biology of the Algae" by Oltmanns, ... 1903 in which the name of Mr W. is very frequently cited. This you can communicate to Mr. Lloyd Williams. Please ask him the same time

if he is a member of the Linnean Society? Should this not be the case, Prof Go'bel would propose him as such, if he wished it."

I give this message but probably you are a member already. Please thank Mrs. Lloyd Williams for her letter & hoping that someday your work may get the recognition it deserves ... I am Yrs very sincerely, Amy Graves.

My Father is as you will remember Professor von Ranke of Munich University.[24]

Cyfeirio oedd Amy Graves at waith J. Lloyd Williams a ddyfynnir yng nghyfrol swmpus y Dr. Friedrich Oltmanns *Morphologie und Biologie der Algen* ac fe atgynhyrchwyd rhai o'i amlinelliadau yn ogystal ar gyfer esbonio'r testun. Roedd Amalie (Amy) Graves yn ferch i Heinrich Ritter von Ranke, Athro Meddygaeth ym Mhrifysgol Munich, ac yn wraig i Alfred Perceval Graves (1846-1931) awdur ac addysgwr enwog a oedd yn gyfaill i J. Lloyd Williams ac yn un o gychwynwyr Cymdeithas Alawon Gwerin Cymru gyda Syr Harry Reichel pan osodwyd ei sylfeini yn Eisteddfod Genedlaethol Caernarfon 1906. Yn ôl rhai o drigolion yr ardal rhwng Porthmadog a Harlech roedd y bardd a'r llenor Robert Graves, mab Amy ac A. P., yntau yn ymddiddori ym mywydeg y môr ac yn argymell gosod gwlâu wystrys ar y Traeth Mawr.

Tra'r oedd yn ei swydd fel arddangosydd a darlithydd cynorthwyol ym Mangor enillodd J. Lloyd Williams ei radd gyntaf, sef D.Sc. (Cymru) yn 1908 am ei waith arloesol ar yr algâu môr ac yn 1912 symudodd o'r Adran Fotaneg i swydd a oedd ar y pryd yn newydd yn Adran Amaethyddol y Coleg. Yn ôl adroddiad Llywodraethwyr y Coleg am gyfarfod a gynhaliwyd ar 23 Hydref 1912 datgelir bod grant a dderbyniwyd gan y Llywodraeth wedi eu galluogi i ymestyn yr Adran Amaethyddol a chreu dwy swydd o ddyletswyddau ymgynghorol yn hytrach nag addysgol ac fel eglura'r cofnodion:

Dr. J. Lloyd Williams has been transferred from the Botany Department to the post of Advisory Lecturer in Agricultural Botany, and Mr. G. W. Robinson has been appointed to that in Agricultural Chemistry. Much benefit is to accrue to the agricultural industry in North Wales from the appointment of two gentlemen specially qualified to give advice to agriculturists on all technical questions falling within their departments.[25]

Erbyn Medi, 1914, roedd y labordai yn gyfarparedig ac yn weithredol a J. Lloyd Williams, yn ychwanegol at gynorthwyo gydag arolwg pridd ym Môn ar ran yr adran newydd, wedi ymgymryd â gwaith botanegol cysylltiedig â phorfeydd. Yn ôl y Professor Robert G. White, pennaeth yr adran, bu'n ymweld â nifer fawr o ffermwyr gan eu cynghori ar amryw faterion amaethyddol:

> ... special attention must be called to the seed-testing work conducted by Dr. Lloyd Williams. A large number of seed samples sent in by farmers, particularly by old students, have been tested for purity and germination, and I anticipate that seed-testing will become one of the most useful and popular branches of the Advisory work.[26]

Mewn adroddiad dyddiedig 4 Hydref 1915 fodd bynnag cofnododd White:

> During the year the valuable services of Dr. J. Lloyd Williams were lost to the department, on account of his appointment to the Professorship of Botany at Aberystwyth. Mr. T. J. Jenkin, B.Sc. an Aberystwyth student ... was appointed to fill the vacancy. He commenced work in March, 1915.[27]

I gyd-fynd â llwyddiant ei dad yn ystod yr un flwyddyn llwyddodd Idwal, mab hynaf J. Lloyd Williams a oedd wedi bod yn astudio Botaneg ym Mangor dan yr Athro Phillips, i ennill gradd dosbarth cyntaf mewn Botaneg ar astudiaeth o lystyfiant traeth cerrig mân yng Nghricieth a Sytoleg y gwymon *Padina pavonia.*

Er mai prif gynnwys llythyr Bretland Farmer ato yn Chwefror 1910 oedd ymholiad ynglŷn â phlanhigion yr Ysgolion Duon ar Garnedd Dafydd, hynny ar gyfer trefnu taith lysieua yno, anfonodd ei longyfarchiadau i J. Lloyd Williams ar ennill ei D.Sc., gan ychwanegu, 'I should like you to get a Welsh Chair'.[28] Daeth y Gadair honno iddo ymhen pum mlynedd ac erbyn hynny roedd dros ei drigain oed.

NODIADAU: Pennod 6

1. Ll.G.C., J. Lloyd Williams, Eitem 143.
2. Ibid.
3. Ibid. Yn ddiweddarach bu Mary Phillips, B.Sc., yn athrawes bioleg yn ysgol Godolphin and Latymer, ac yn gyd-awdures gyda Lucy E. Cox, B.Sc., F.L.S., ar chwe chyfrol safonol ar fioleg.
4. Ray Desmond, *Dictionary of British and Irish Botanists and Horticulturists.* (London, 1977), t. 680.
5. Organ rywiol wrywaidd sy'n cynhyrchu sberm symudol, sef antherosoid.
6. Sberm symudol wedi ei gynhyrchu gan yr antheridia.
7. Ll.G.C., J. Lloyd Williams, Eitem 143.
8. Dwy genhedlaeth wahanol mewn planhigyn, e.e. sboroffyt a gametoffyt.
9. Clwstwr o sborangia lle gwarchodir y sborau.
10. Cell rywiol. Uniad antherosoid â'r ŵy-gell sy'n cynhyrchu ŵy-gell ffrwythlon (sygot).
11. Cenhedliad rhywiol yn cynhyrchu gametau, nid sborau.
12. Organ yriadol fel chwip wedi ei chysylltu i'r antherosoid.
13. Organ lle mae'r gametau benywaidd yn datblygu.
14. Ll.G.C., J. Lloyd Williams, Eitem 143.
15. Ibid.
16. Astudiaeth ffurfiant ac atgynhyrchiad celloedd planhigion ac anifeiliaid.
17. Ll.G.C., J. Lloyd Williams, Eitem 143.
18. David M. Mottier, *Annals of Botany* xiv (1900), tt 164-192.
19. J. Lloyd Williams, *The New Phytologist* 11 (1903), tt 184-6.
20. Ll.G.C., J. Lloyd Williams, Eitem143.
21. Joseph Lester, *E.Ray Lankester and the making of modern British Biology*. British Society for the History of Science (1995), tt 105-13.
22. Ll.G.C., J. Lloyd Williams, Eitem 143.
23. J. Lloyd Williams, *Annals of Botany* xiv (1905), t.557.
24. Ll.G.C., J. Lloyd Williams, Eitem 143.
25. Coleg Prifysgol Cymru, Bangor. *Court of Governors Minutes and Reports* 1909-1912. Minutes of meeting held on 23 October 1912.
26. Ibid. 1913-1917, 29 September 1913.
27. Ibid. 1914-1915, 4 October 1915.
28. Ll.G.C. J. Lloyd Williams, Eitem 143.

7
Penllanw … a Thrai

Does dim amheuaeth am y newid a fu ar astudio byd natur yn gyffredinol drwy Brydain yn ystod y blynyddoedd yn dilyn y Rhyfel Mawr, yn enwedig ymysg yr amaturiaid. Tra'r oedd gwylio adar yn parhau'n boblogaidd dirywio mewn niferoedd a wnaeth y botanegwyr, y daearegwyr â'r entomolegwyr a phrin mwyach y gwelid yr arferiad o'r mab yn dal ati gyda chasgliad ffosiliau, planhigion neu bryfetach y tad. Cefnwyd i raddau helaeth ar yr arferiad o gasglu sbesimenau, gan ei ystyried yn beth hen ffasiwn sychlyd Victoraidd, a daeth tro ar fyd. Rhoddwyd heibio'r driwel a'r *vasculum* a daeth y sbienddrych a'r camera i raddol gymryd eu lle. Canlyniad hyn o un safbwynt oedd dirywiad sylweddol yn niferoedd arbenigwyr yn y gwahanol feysydd ond roedd yn lles o safbwynt cadwraeth. Cyfeiriodd J. Lloyd Williams at y diffyg diddordeb a fodolai yn rhai o'i gyn-fyfyrwyr mewn llythyr at Evan Price Evans, yr ecolegydd, yn 1920:

> Very many thanks for your reprint – it is exceedingly interesting and a good example of the kind of work that ought to be done by well-qualified teachers throughout the country. It has always been a source of grief to me that hardly any of our graduates pursue the subjects they have qualified in after leaving Coll.[1]

Diau bod ymyrraeth y Rhyfel Mawr wedi cael effaith andwyol drwy gyfyngu ar olyniaeth ymysg y naturiaethwyr amatur ac allan o gyfanswm y dynion ifainc a ddylai fod wedi tyfu'n oedolion erbyn yr 1920au gwyddys bod chweched rhan wedi eu lladd; llawer ohonynt yn naturiaethwyr addawol. Roedd bygythiad o gyfeiriad arall hefyd yn cwtogi ar niferoedd naturiaethwyr y cyfnod ac yn achosi cryn boendod meddwl i George Claridge Druce, Ysgrifennydd Anrhydeddus a gwir reolwr y *Botanical Society and Exchange Club,* pan ddywedodd mewn ysgrif goffa i un o'r aelodau yn 1925:

> It becomes increasingly difficult to fill their places … the competing attractions of football, cinemas, golf, revues and dances appear to be

> too powerful rivals, and one has to acknowledge that the interest in our and other branches of natural science seems to lack the presence of devotees such as the last half of the nineteenth century afforded excellent examples in all grades of life.[2]

Bu J. Lloyd Williams yn aelod o'r *Botanical Society and Exchange Club* ac anfonodd barseli o sbesimenau planhigion wedi eu sychu a'u gwasgu iddynt ond roedd dyddiau'r hen gymdeithas honno hefyd wedi eu rhifo. Gwelodd y ganrif newydd ddiwedd ar bennod arall o'r hen drefn gyda marwolaeth Druce yn 1932 wedi gwasanaeth o bron ddeng mlynedd ar hugain ac er bod gweithgareddau'r gymdeithas newydd a ffurfiwyd maes o law yn wahanol i'r hen glwb ffeirio, y *B.E.C.* yn ddiau oedd rhagflaenydd y *Botanical Society of the British Isles* bresennol.

Roedd y chwyddiant a ddaeth yn sgîl y Rhyfel Mawr yn sicr o fod wedi dylanwadu ar y cymdeithasau byd natur a'r cylchgronau perthnasol hefyd gan ostwng niferoedd yr aelodau. Bu codiad sylweddol yng nghostau argraffu a diflannodd y Post Ceiniog a fu'n gwasanaethu Prydain yn sefydlog ers 1840. Yn ystod y deuddeng mis o 1919 i 1920 bu cynnydd o 50% ym mhrisiau cyfanwerth. Mae'n debyg mai effeithiau'r Rhyfel Mawr oedd i gyfrif bod D. A. Jones yn ei chael yn anodd i gael cyhoeddi ei bapur diweddaraf ar fwsoglau yn 1917 pan anfonodd at J. Lloyd Williams i ofyn iddo gael golwg arno:

> I have just completed a short introduction to a little paper on the Mosses & Hepatics of Denbighshire ... Would you kindly look over it ... it is difficult to get publishers for these papers when the time is so limited. I am going to subscribe to the Yorkshire Naturalist to see if the Editor will publish this.[3]

Er yr holl gynnwrf a'r ansicrwydd a fodolai yn Ewrop ar y pryd llwyddodd y byd academaidd i rygnu mlaen orau y gallai dan yr amgylchiadau ac erbyn y flwyddyn 1915 roedd tri Chymro yn benaethiaid Adrannau Botaneg tri o Golegau Prifysgol Cymru, R. W. Phillips ym Mangor, A. H. Trow yng Nghaerdydd a J. Lloyd Williams yn Aberystwyth. Roedd y ddau gyntaf eisoes yn Gymrodyr o'r Gymdeithas Linneaidd, anhrydedd nid bychan, ac yn 1916 anfonodd J. Lloyd Williams yntau gais ynglŷn â dod yn *Fellow of the Linnean Society* ar 20 Mai, 1916. Fe gofir bod mwy nag un gwyddonydd blaenllaw o'r Almaen wedi ei annog i ymaelodi â'r gymdeithas hon yn 1907 ond mae'n debyg nad oedd yn ei ystyried ei hunan yn gymwys oherwydd nad oedd gradd ganddo bryd hynny. Llofnodwyd ei gais swyddogol gan R. W. Phillips ac A. H. Trow ac hefyd gan Francis Wall Oliver a oedd ar y pryd yn Athro Botaneg yng Ngholeg Prifysgol Llundain. Anfonodd flaendal o £6 ynghyd â'i daliad blynyddol o £3 i swyddfa'r gymdeithas yn Piccadilly ar 5 Mehefin 1916 a bu'n aelod selog nes iddo ddiddymu'r aelodaeth yn 1927, flwyddyn ar ôl iddo ymddeol.

O ddarllen Adroddiadau Llys a Chyngor Coleg Prifysgol Cymru, Aberystwyth, am y cyfnod rhwng 1916 a 1926 (nid yw adroddiad 1915 ar gael) daw i'r amlwg y prinder yn niferoedd y myfyrwyr o ganlyniad i'r rhyfel. Yn adroddiad 1916 am yr Adran Fotaneg cofnododd J. Lloyd Williams:

> The Intermediate Class started with seven men and 21 women. All the men left for the Army except one who was below military age. ... In the Final Course there were in the first term four men and 17 women. All the men left; of the women, six tried the Final examination and all passed.[4]

Yn yr un adroddiad cofnodir bod S. G. Jones yn ei swydd fel Arddangosydd a Dirprwy Ddarlithydd a daw enw'r gŵr hwn i'r amlwg yn holl adroddiadau J. Lloyd Williams fel gweithiwr hynod lwyddiannus a galluog; ei ymroddiad a'i gyfraniad yn gaffaeliad difesur i'r adran. Erbyn 1925 roedd wedi derbyn gradd D.Sc. am ei waith ymchwil a chyhoeddwyd ffrwyth ei lafur yn y cylchgrawn *Annals of Botany* yn 1926. Oherwydd y cwtogi ariannol cyffredinol penderfynwyd peidio â phenodi *Scholar-Assistant* i'r adran yn 1917 ac o ganlyniad bu'n rhaid gohirio gwaith yr Amgueddfa a'r Herbariwm. Nid oedd un ymgeisydd i'r cwrs anrhydedd botaneg y flwyddyn honno ond cafwyd pump ymgeisydd newydd ar gyfer cyrsiau'r flwyddyn ganlynol. Enwyd Miss E. J. Fry fel un a dderbyniodd grant gan y Cyfrin Gyngor er mwyn parhau gyda'i gwaith ar y *'Cryptogamic pioneer vegetation of the Aberystwyth shales'* ac enillodd Gymrodoriaeth gan y Brifysgol am iddi gyflawni gwaith o safon uchel. Bu hi, ynghyd â myfyrwraig ddisglair arall o'r enw Miss Gertrude Walters, yn aelod o staff J. Lloyd Williams yn y blynyddoedd dilynol hyd nes iddynt ymadael yn 1923.

Bu cynnydd yn nifer myfyrwyr yr adran yn ôl adroddiad 1918 a dechreuodd J. Lloyd Williams gynnal dosbarthiadau Naturiaetheg ar gyfer milwyr wedi eu rhyddhau o'r fyddin. Ffurfiwyd dosbarth diddorol a gwahanol gan y rhain drwy bod eu brwdfrydedd a'u hagwedd yn bur wahanol i'r myfyrwyr a ddaeth yn syth o'r ysgolion. Yn ystod y Pasg caniatawyd defnyddio ystafell wag yr adran Ddaearyddiaeth fel Amgueddfa a phrynwyd sbesimenau trofannol, ynghyd ag eraill o'r Amgueddfa Brydeinig yn gyfnewid am ffotograffau. Ar ben ei ddyletswyddau arferol dywed J. Lloyd Williams iddo barhau gyda'i 'Arolwg Fotanegol' yn ogystal â'i ymchwiliadau i hanes bywyd y gwymon *Laminariaceae* ond pwysleisiodd y ffaith nad oedd yr amser oedd ganddo ar gyfer cyflawni gwaith o'r fath yn ddigonol i gyrraedd safon gwaith delfrydol prifysgol.

Erbyn 1919 bu cynnydd o draean yn nifer myfyrwyr yr Adran Fotaneg o'i gymharu â chyfartaledd y niferoedd cyn y rhyfel gyda'r canlyniad ei bod yn anodd trefnu'r dosbarthiadau ac nid oedd yr haint o ffliw a ledaenodd drwy'r wlad ar y pryd yn helpu pethau. Gwahanwyd y myfyrwyr Diploma Amaethyddiaeth a Llaethyddiaeth oddi wrth fyfyrwyr y cwrs Canolradd a darparwyd cwrs arbennig ar eu cyfer dan ofal y Dr. Burtt. Llwyddwyd i leoli gweddill y myfyrwyr mewn dau labordy a bu'n rhaid benthyca microsgopau ar eu cyfer o'r adrannau Swoleg a Daeareg i ddiwallu'r anghenion ychwanegol. Roedd J. Lloyd Williams yn fawr ei ganmoliaeth i'r cyn-filwyr unwaith eto:

> I wish to bear testimony to the whole-hearted way the ex-servicemen threw themselves into the work in spite of the difficulty they must have felt in adapting themselves to conditions so different from those they had experienced during the preceding years of stress. Their success in the examinations showed that the responsibilities they had borne, and their novel experiences, had given them a wider outlook and a more mature judgement, which in a very striking degree reflected themselves in their academic work.[5]

Parhau i gynyddu oedd hanes yr Adran Fotaneg yn 1920 hefyd a chafwyd peth trafferth i gael offer megis microsgopau newydd. Parhaodd J. Lloyd Williams yntau gyda'i waith ar y gwymon yn ystod y flwyddyn gan baratoi crynodeb ohono i'w draddodi yng Nghaerdydd gerbron cyfarfod y *British Association.* Y flwyddyn ganlynol caniatawyd iddo amser rhydd o'i ddyletswyddau colegol er mwyn canolbwyntio ar y gwaith hwn: 'The first of my series of papers, *"Studies in the Laminariaceae"* has already appeared;

the remaining papers will appear very soon', meddai, ond fel y cawn weld nid felly y bu er iddo gael yr anrhydedd o wahoddiad i ddarlithio ar y pwnc i'r Gymdeithas Linneaidd. Yn adroddiad 1921 cofnodir y newid a fu yn yr Adran Wyddoniaeth gyda'r bwriad o godi safonau, fel yr eglurodd J. Lloyd Williams:

> In future all students will be precluded from taking the Final Course unless they have done enough Physics and Chemistry to do plant physiology; this change debars Arts students from pursuing the subject beyond the Subsidiary Stage. This will, in all probability, involve a decrease in the number of students proceeding to the Final Stage, but will enable us to raise the standard of the Pass examination.[6]

Erbyn 1922 cyhoeddodd J. Lloyd Williams lwyddiant y drefn newydd a bu'r flwyddyn ganlynol yn eithriadol oherwydd mai dyma'r dosbarth gorau a welodd erioed o fyfyrwyr y Dosbarth Anrhydedd Ail Flwyddyn *(Second Year Honours)*. Yn ystod yr un flwyddyn cafwyd cwrs o ddarlithoedd arbennig gan Yr Athro D. H. Scott, a grybwyllwyd yn gynharach, ar baleobotaneg ac esblygiad ac anfonodd Bangor ei myfyrwyr Dosbarth Anrhydedd ynghyd â'i darlithwyr botaneg i Aberystwyth i ddilyn y cwrs. Yn 1923 llwyddodd am y tro cyntaf ers rhai blynyddoedd i fynd â myfyrwyr y Cwrs Canolradd a'r Atodol yn ogystal â'r Dosbarth Anrhydedd, am bum diwrnod i Fangor er mwyn astudio planhigion yn eu cynefinoedd naturiol ym Môn ac Eryri. Credodd yn gryf yn yr agwedd hon o ddysgu drwy gydol ei oes. Yn adroddiad 1923 hefyd mae'n cyhoeddi bod ei lyfr *Byd y Blodau* yn barod i'r wasg a cheir bod P. W. Carter, un o'r myfyrwyr Anrhydedd Dosbarth Cyntaf, wedi ei benodi yn Ddarlithydd Cynorthwyol yn dilyn ymadawiad Miss E. J. Fry am Rydychen.

Yn ei ddau adroddiad olaf cyn ymddeol mae J. Lloyd Williams yn pwysleisio'r ffaith i safonau'r Adran Fotaneg godi ers i'r Gyfadran Wyddoniaeth benderfynu gwahardd myfyrwyr y celfyddydau rhag mynychu'r rhan derfynol o unrhyw bwnc gwyddonol. Aberystwyth oedd yr unig goleg o Brifysgol Cymru i weithredu'r rheol hon meddai.

Roedd yr un mlynedd ar ddeg a hanner a dreuliodd fel Pennaeth Adran Fotaneg Aberystwyth bellach ar ben ac yn ei adroddiad am 1926 mae'n gwerthfawrogi cymorth ei ddau gynorthwy-ydd Dr. S. G. Jones a P. W. Carter yn enwedig am y modd yr oeddynt wedi ymdopi â'r dyletswyddau ychwanegol a ddaeth yn sgîl ei absenoldeb yn ystod pum wythnos gyntaf tymor yr haf o ganlyniad i ddamwain. Yn ôl un darlithydd roedd J. Lloyd Williams yn un o'r rhai a geisiodd, drwy annog gwaith ymchwil uchelgeisiol, wneud Prifysgol Cymru yn 'real university'[7] a rhaid cytuno â hynny. Daeth i'r swydd yn dilyn ymadawiad R. H. Yapp, a olynodd naturiaethwr enwog arall o'r cyfnod, sef J. H. Salter.

Yn 1891 y daeth John Henry Salter[8] i Goleg Prifysgol Cymru, Aberystwyth, fel Darlithydd ac Arddangosydd mewn Bioleg ac yn 1899 penodwyd ef yn Athro Botaneg cyntaf y coleg pan neilltuwyd yr Adran Fotaneg fel endid ar wahân. Mab ydoedd i deulu o siopwyr a Chrynwyr o Westleton, swydd Suffolk a dderbyniodd ei addysg elfennol yn Ysgol y Crynwyr, Ackworth, swydd Efrog, wedi i'r teulu symud i fyw i Scarborough yn dilyn marwolaeth ei dad pan oedd yn saith oed. Bu'n astudio botaneg yng Ngholeg Flanders a Choleg Owens, Manceinion ac yn athro yn rhai o ysgolion y Crynwyr yn Lisburn, Gogledd Iwerddon, swydd Efrog a Birmingham a threuliodd gyfnod byr ar staff Coleg Prifysgol Llundain cyn dod i Aberystwyth. Thomas Francis Roberts, brodor o Aberdyfi, oedd y Prifathro yno ar y pryd hyd at ei farwolaeth yn 1919. Rhyddhawyd Salter o'i ddyletswyddau colegol am naw mis yn 1896 a bu'n astudio dan yr Athro Strasburger ym Mhrifysgol Bonn gan ennill gradd D.Sc. am y gwaith a gyflawnodd yno o gynnal archwiliadau biolegol ar rawn startsh.

Yn ystod yr un flwyddyn treuliodd dri mis ym Mhrifysgol Marburg, Yr Almaen, yn gweithio ar y berthynas rhwng y gwahanol rannau o alga a ffwng mewn cen.

Ymddiswyddodd o'i swydd fel deilydd y Gadair Fotaneg yn Aberystwyth yn 1903 ac fel y gwelsom mewn pennod flaenorol rhoddwyd y swydd i R. H. Yapp gyda J. Lloyd Williams yn un o'r ymgeiswyr aflwyddiannus. Daliodd Salter ei afael ar fân swyddi fel Curadur Amgueddfa'r coleg ac fel darlithydd ar facterioleg ac entomoleg yn yr Adran Amaethyddol tan ei ymddeoliad yn 1908 pan symudodd gyda'i deulu i Teneriffe ac wedyn i Dde Ffrainc yn dilyn dirywiad yn iechyd ei wraig. Symudodd i Dorset yn 1916 ac yn dilyn ei marwolaeth a chwblhâd addysg ei ddau fab symudodd yn ôl i Gymru y flwyddyn ganlynol gan gartrefu yn 'Fairview', Llanbadarn Fawr, ar gyrion tref Aberystwyth am weddill ei oes.

J. Lloyd Williams yn y 1920au.
Llun: Wyneb-ddalen *Musicians and Music of Montgomeryshire* (Welshpool, 1928).

J. H. Salter, R. H. Yapp, J. Lloyd Williams a W. Robinson.
Llun: Drwy garedigrwydd Sefydliad y Gwyddorau Biolegol, Aberystwyth.

Prin yw'r ohebiaeth a oroesodd rhwng Salter a J. Lloyd Williams ond does fawr o amheuaeth nad oedd y ddau yn adnabod ei gilydd ac er nad oes gadarnhad yn nyddiaduron Salter mae'n bosib iddynt fod allan ar deithiau casglu gyda'i gilydd. Yn Rhagfyr 1904 datganodd Salter ei awydd i gael mynd yng nghwmni J. Lloyd Williams i chwilota arfordir Môn am wymon. Mae'r llythyr a sgrifennodd yn Hydref 1925 yn dweud ei fod yn bwriadu ymweld ag Eryri ym Mehefin y flwyddyn ganlynol a chan ystyried J. Lloyd Williams fel arbenigwr, yn mynd ymlaen i'w holi ynglŷn â lleoliad yr hen gynefinoedd difancoll a grybwyllwyd gan Edward Lhuyd fel Creigiau Hysfa Bengam, Trigyfylchau a Ffynnon Frech nad ydynt bellach wedi eu nodi ar unrhyw fap. Mae Ffynnon Frech, sy'n gorwedd yng nghesail Clogwyn y Person, bellach wedi ei nodi ar fapiau'r O.S. fel Llyn Bach a'r unig beth a wyddys am Drigyfylchau yw ei fod yn rhan o'r clogwyni rhwng y Glyder Fawr a Thwll Du. Yn yr un llythyr mae Salter hefyd yn tynnu sylw at y ffaith nad yw J. E. Griffith yn ei *Flora of Anglesey and Carnarvonshire* yn nodi'r Gludlys Arfor *(Silene uniflora)* a Chlustog Fair *(Armeria maritima)* fel planhigion mynydd. Cyhoeddodd Salter ei *The Flowering Plants and Ferns of Cardiganshire* yn 1935 a gwelir enw J. Lloyd Williams wrth bymtheg o rywogaethau'r sir, a ddarganfuwyd ganddo; nifer bychan o'i gymharu â'r pymtheg a phedwar ugain record a gyfrannodd i *Flora* J. E. Griffith cyn iddo ymadael o'r Garn.

O ddarllen drwy ohebiaeth a phapurau academaidd J. Lloyd Williams gwelir sawl cyfeiriad at fiolegwyr o dramor a ddaeth i gysylltiad ag ef drwy fod ambell agwedd o waith y naill yn digwydd cael ei drin gan y llall. Roedd prif waith J. Lloyd Williams ar yr algâu môr wedi ei gyhoeddi cyn iddo gymryd y Gadair Fotaneg yn Aberystwyth ond yn 1920 derbyniodd lythyr oddi wrth yr Athro Charles Joseph Chamberlain[9] (1863-1943) o Brifysgol Chicago. Profa'r llythyr fod J. Lloyd Williams yn dal ati gyda'i archwiliadau ar fath arall o wymon. 'I am deeply interested in your work on Laminaria and Chorda' meddai Chamberlain, ac aeth ymlaen i'w annog i gyhoeddi ffrwyth ei waith ar unwaith gan ofyn iddo anfon drosodd sleidiau o gametoffytau a phlanhigion ifainc o *Laminaria* os oedd ganddo rai i sbario gan egluro y buasent yn ychwanegiadau gwerthfawr i gyfarpar dysgu Prifysgol Chicago. 'If you are busy', pwysai Chamberlain, 'just use what you presented at the meeting and bring out any other details later.' Mae'n amlwg bod Chamberlain yn awyddus i J. Lloyd Williams hawlio'r clod dyledus am ei waith rhag ofn iddo golli'r cyfle ac i rywun arall fanteisio ar hynny.

Roedd yn amlwg bod Chamberlain wedi darllen am waith arloesol J. Lloyd Williams neu efallai wedi ei glywed yn darlithio. Gwyddys bod Chamberlain wedi ymweld ag Ewrop drwy ei fod yn enwog fyd-eang ac yn aelod a ohebai'n gyson gyda chymdeithasau botanegol yn Lloegr, Yr Almaen, Y Swistir a'r India. Bu'n is-lywydd a chadeirydd Adran Fotaneg yr *American Association for the Advancement of Science* ac ymhlith pethau eraill bu'n gyd-ohebydd ar y *Botanical Gazette.* Diddordeb mawr arall Chamberlain, fel J. Lloyd Williams, oedd cerddoriaeth ac mae'n amlwg bod gan y ddau lawer i'w drafod.

Gwelir hefyd yn llythyr Chamberlain gyfeiriad at y gwymonegwr Siapaneaidd Shigeo Yamanouchi[10] a lwyddodd i ddatrys yr un problemau ynglŷn â'r gwymon coch ag a wnaeth J. Lloyd Williams gyda'r gwymon brown. Ymddengys bod y ddau yn cynnal yr un math o archwiliadau yn gyfamserol ond heb yn wybod i'w gilydd. Dywedodd Chamberlain mai Yamanouchi a berffeithiodd y dechneg o doriannu deunydd ar gyfer ei osod ar sleidiau microsgop ac na welodd enghreifftiau tebyg gan neb arall. Ganed Yamanouchi yn Tokyo yn 1878. Derbyniodd M.S. gan y *Tokyo Teachers College* yn 1898, Ph.D. gan Brifysgol Chicago yn 1907 a Sc.D. gan Goleg Ymerodrol Tokyo yn 1911. Bu'n dysgu yn y *Tokyo Teachers College* (a gofnodir yn yr *Annual Register* fel y *Tokyo Higher Normal College*) o 1898 i 1931 a chofrestrir ef gan Brifysgol Chicago fel 'research associate' yn yr Adran Fotaneg yno o 1927 i 1935. Cyhoeddodd amryw bapurau yn *The Botanical Gazette* yn ystod degawd cyntaf yr ugeinfed ganrif ac yn un ohonynt cydnebydd gyfraniad arloesol J. Lloyd Williams, Farmer a Strasburger i'r maes:

> To the brilliant results of these authors we owe most of our present knowledge of the cytology of these forms.[11]

Ar un adeg Labordy Strasburger ym Mhrifysgol Bonn oedd y brif ganolfan ar gyfer astudio sytoleg planhigion a bu'n gyrchfan boblogaidd i amryw o fiolegwyr o wahanol wledydd. Yma y daeth Salter yn 1896 a Chamberlain yn 1901-02 a doedd dim rhyfedd bod Bretland Farmer wedi cynhyrfu pan glywodd fod Strasburger ar drywydd y *Fucus* ar yr un adeg â'i ddisgybl J. Lloyd Williams yn 1896.

Ymddangosodd papur olaf J. Lloyd Williams ar y gwymon yn rhifyn xxxv o'r *Annals of Botany* yn 1921 dan y teitl *The Gametophytes and Fertilization in Laminaria and Chorda (Preliminary Account)* flwyddyn ar ôl iddo dderbyn llythyr Chamberlain yn ei annog i fynd ymlaen a chyhoeddi ei waith. Hwn oedd y gwaith ymchwil a gyflawnodd yn ystod ei flynyddoedd fel pennaeth adran yn Aberystwyth. Roedd eisoes wedi darllen papurau ar y *Laminaria* yng nghyfarfodydd blynyddol y *British Association* yn Bradford yn 1900 ac yn Dundee yn 1912 ac mae'n amlwg fod ganddo ddiddordeb parhaol yn y rhywogaeth hon o wymon. Cyhoeddodd yn 1921 ddisgrifiad rhagarweiniol o ffrwythloniad gametoffytau y ddau wymon *Laminaria* a *Chorda* a chadarnhau, drwy arsylwadau *in vitro*, fodolaeth gametoffytau microsgopaidd yn y *Laminaria.* Roedd hyn yn cadarnhau Sauvageau a awgrymodd bod y fath gyfnod yn bodoli ym mywyd y gwymon *Saccorhiza.* Eglurodd J. Lloyd Williams fel y llwyddodd i ddatrys problem a fu'n poeni algolegwyr ers peth amser:

> Until recently all attempts at verifying this conjecture by observing the liberation of the contents and the process of fertilization failed. To Sauvageau belongs the credit of finding the first piece of evidence in favour of the correctness of the above suggestion. Although he, also, failed to find actual liberation of male gametes and fertilization, he was lucky enough to find in Saccorrhiza [sic] abnormal cases of germination of zoospores within liberated but unripe sporangia.[12]

Aeth ymlaen i egluro pa mor anodd oedd gweld rhyddhad yr antherosoidau a'r broses o ffrwythloni gan fod y gametoffytau mor fychan:

> Even continuous observation would not suffice to guarantee success, for fertilization may be taking place on a slide while it is being examined under the microscope, yet owing to the smallness of the objects the observer may miss it completely.[13]

Er iddo ddweud mai papur rhagarweiniol oedd hwn yn ateb i geisiadau taer gan ei gyfeillion i gyhoeddi ei ddarganfyddiad, ac y byddai cyfres o adroddiadau manylach gydag arluniadau disgrifiadol yn dilyn, ymddengys na chyflawnodd ei addewid. Hwn oedd ei bapur olaf ar y gwymon ond llwyddodd i annog un o'i fyfyrwyr, P. W. Carter, (a grybwyllwyd eisoes) i gario mlaen gyda'r gwaith ar y *Dictyotales* ac yn 1927 gwelwyd cyhoeddi yn rhifyn 41 o'r *Annals of Botany* ffrwyth ei ymchwil ar ffurfiant a sytoleg y gwymon *Padina pavonia.*

Aeth Carter ymlaen i wneud enw iddo'i hun ym maes botaneg mewn mwy nag un ffordd. Daeth yn arbenigwr ar fwsogl a llysiau'r afu a mabwysiadodd ddiddordeb yn hanes datblygiad botaneg yng Nghymru a Lloegr. Ymddiddorai J. Lloyd Williams yn y maes hwn yn ogystal fel y gwelwyd mewn pennod gynharach ond drwy ymroddiad a barhaodd o 1946 i 1960 daeth Carter yn arbenigwr ar y pwnc gan gyhoeddi traethodau ar hen siroedd Trefaldwyn, Maesyfed, Aberteifi, Caerfyrddin, Môn, Morgannwg, Meirionnydd, Caernarfon, Fflint, Brycheiniog a Dinbych yn Nhrafodion y Cymdeithasau Hanes a chylchgronau cyffelyb. Yn dilyn ei farwolaeth cyhoeddwyd ei ddau draethawd anghyhoeddedig a oedd ar gadw yn Amgueddfeydd ac Orielau Cenedlaethol Cymru, Caerdydd, sef y rhai ar Benfro a Mynwy, gan R. Gwynn Ellis yn y cylchgrawn *Nature in Wales,* a *Welsh Bulletin* Cymdeithas Fotaneg yr Ynysoedd Prydeinig yn ddiweddarach.[14]

Ac yntau ar y pryd yn ddarlithydd yn Aberystwyth cydnebydd Carter ei ddyled i J. Lloyd Williams mewn llythyr ym mis Gorffennaf 1926 drwy ddweud: '… you gave me an excellent start by appointing me to assist you', ac mae'n amlwg ei fod yn ystod mis Mai o'r un flwyddyn yn gofidio am iechyd ei hen athro ar ôl ei ddamwain ac hefyd yn sgîl effeithiau'r streic fawr:

> … I am delighted that you are getting better … hope that the conditions arising out of the Strike will not affect your recovery … mighty bad business, but to me has seemed inevitable for many years. I should like to think that the conclusion of this 'war' will see the end of the community being held up as it were, at the end of a pistol. I can appreciate how you miss the wireless set now that it is so difficult to obtain authentic news. I am rather amused at the "British Gazette" voicing the Government & supporting their actions especially since it is published from public funds. Our main difficulty is the inability to make extended trips to Borth, Ynyslas etc. On Monday afternoon last the Honours Class proceeded on their own to South Shore, & I have this day informed them of your desire for them to do much more field work as solo efforts.[15]

Ni chefnodd J. Lloyd Williams yn llwyr ar fotaneg maes er yr holl bwysau gwaith oedd ganddo fel pennaeth Adran Fotaneg Aberystwyth ac yng ngolwg ei ddiddordeb cynyddol mewn casglu a golygu hen ganeuon gwerin Cymru. Mae'n amlwg ei fod yn parhau i annog myfyrwyr i gyfuno gwaith maes gyda gwaith labordy. Dywedodd mewn anerchiad i Gymdeithas Hen Fyfyrwyr Bangor yn 1935 yr arferai bob Pasg arwain ei fyfyrwyr Dosbarth Gradd o Aberystwyth ar deithiau maes i astudio planhigion Arctig-Alpaidd Eryri, planhigion y garreg galch yn Llandudno a phlanhigion morol Môn. Dywedodd Carter unwaith fod diddordeb J. Lloyd Williams mewn cerddoriaeth wedi achosi colled i fotaneg sy'n awgrymu efallai nad oedd Carter yn or-hoff o fiwsig. Tra'n arwain dosbarth o fyfyrwyr i draeth Cricieth i hel gwymon un tro bu'n rhaid oedi ar y ffordd am fod hen fugail yn mynnu canu hen gân werin i'r Athro ac yntau'n ei nodi'n ofalus yn ei lyfr.

Yn 1925 gwelwyd cyhoeddi argraffiad cyntaf llyfr poblogaidd a diddorol Herbert R. C. Carr a George A. Lister *The Mountains of Snowdonia* a gynhwysai bennod gan John Bretland Farmer ar lystyfiant Eryri.

Sgrifennodd Farmer ei bennod *Notes on the Flora of Snowdonia* yn gryno a llawn gwybodaeth fel un a oedd yn lled gyfarwydd â'r ardal drwy ei fynych ymweliadau i ddringo a cherdded y mynyddoedd. Mae'n ddiddorol sylwi bod Farmer wedi anfon llythyr at J. Lloyd Williams yn Chwefror 1924 i ofyn am fanylion ynglŷn â llenyddiaeth berthnasol i'r pwnc:

> [I have] let myself in for an article ... on the Snowdonian Flora ... I have a pretty intimate acquaintance with the Flora ... but I have never bothered to look up any literature upon it ... I expect you are quite well acquainted with anything that may have been written, & I would be very grateful if you could give me any references ... particularly [the] occurrence of Lycopodium annotinum on the Glyder some 100 years ago. I do not believe the plant ever occurred there and I am quite sure it is not there now ...[16]

Cyfeirio yr oedd Farmer at y Cnwpfwsogl Meinfannau, nid yn annhebyg i'r Corn Carw sy'n weddol gyffredin ar foelydd Eryri ond yn llawer prinnach ei ddosbarthiad na'r planhigyn hwnnw. Cofnodwyd ef gyntaf gan Edward Lhuyd a'i gwelodd ar lethrau'r Glyder Fawr uwchlaw Llyn y Cŵn a cheir cofnod yn nyddiadur Charles Babington bod ei gydymaith y Parchedig Edward Adolphus Holmes wedi ei weld yn yr union fan yn 1832 ac yn 1836 gwelwyd ef yn yr un safle gan William Wilson, y bryolegydd o Warrington.

Ymhellach ymlaen yn ei lythyr daw Farmer â ffaith fwy diddorol fyth i'r amlwg sy'n datgelu cynllun Arthur Kilpin Bulley, meithrinwr o Swydd Gaer, i greu gardd o blanhigion tramor Arctig-Alpaidd yng Nghwmglas Mawr ar Yr Wyddfa yn 1922:

> I wonder if you have been into Cwm Glas the last year or two and if so, whether you have seen the attempt at an Alpine Garden which Bulley has made on the west side of the Parsons [sic] Nose [Clogwyn y Person]. He put a whole lot of things from Burma & the Himalayas as well as the European mountains but very few of them are now alive. Curiously enough *Ramonda* flourishes and a few *Saxifrages* but all the *Campanulas* are eaten down by slugs or snails, and the *Primulas* have practically all died out.[17]

Yn ôl cylchgrawn yr *Alpine Garden Society* (1933) lleisiwyd y bwriad o roi ail-gynnig i'r fenter ymhen deng mlynedd a chafwyd cefnogaeth frwd gan amryw o aelodau'r gymdeithas. Trafodwyd y mater mewn llythyrau i'r

Times gyda rhai o blaid ac eraill yn erbyn. Ymddengys bod Farmer o blaid y syniad ar y cychwyn ond ymateb digon pwyllog a gafwyd gan H. A. Hyde o Amgueddfa Genedlaethol Cymru pan ofynnodd pa effaith a fuasai cyflwyniad o'r fath yn ei gael ar blanhigion cynhenid Eryri. Petai'r cynllun yn llwyddo, meddai, buasai'n ychwanegiad hardd i'r fflora ond er sicrhau chwarae teg iddynt dylai'r safle gael ei chau a'i rhoi dan ofal meithrinwyr profiadol. Cafwyd ymateb gan y Gymdeithas Linneaidd hefyd fel y gwelir oddi wrth y datganiad hwn i'r *Times:*

> The council of the Linnean Society considered the matter at its meeting yesterday, and was unanimous in depricating most strongly any such procedure. Apart from the desirability of preserving unaltered the ancient Arctic-Alpine flora of Snowdon the council was strongly impressed by the danger to which the latter might be exposed by competition with an alien flora which might cause the disappearance of some rare species. In addition, the introduction of some foreign animals and plants has in the past led to the establishment of some veritable pests, and the effect of future introductions is always incalculable and therefore a real danger.[18]

Yn raddol cefnwyd ar y syniad ond cofiai'r diweddar Evan Roberts, Capel Curig, y botanegydd lleol a Warden cyntaf Gwarchodfa Natur Cwm Idwal, arwydd rhydlyd y warchodfa aflwyddiannus yn sefyll yng nghysgod Clogwyn y Person. Erbyn hyn does ond dail y Ramonda Pyreneaidd *(Ramonda myconi)* yn aros o'r holl gyflwyniadau tramorol, ac mae llystyfiant cynhenid Eryri yn parhau i ffynnu.

Yn anffodus ni wyddys beth oedd barn J. Lloyd Williams ar hyn ond roedd yn ymwybodol iawn bod planhigion o wledydd eraill yn ennill tir yng Nghymru drwy gyflwyniad naturiol. Yn ystod blynyddoedd yr Ail Ryfel Byd cyhoeddodd ysgrif fer yn y *Western Mail* ar Clymog Japan, y chwyn epiliog *Japanese Knotweed* a oedd yn prysur ledu drwy'r wlad yn dra llwyddiannus, gan ymdebygu'r digwyddiad i oresgyniad lluoedd arfog Japan yn Asia ar y pryd. Yn ystod haf 1918 sylwodd ar ddau flodyn dieithr arall a oedd yn tyfu'n wyllt yn y wlad:

> The spread of *Matricaria* [Chwyn Afal Pinwydd] and *Mimulus* [Blodyn y Mwnci]. Of recent years these two plants have spread in Wales in the most remarkable manner. There did not use to be a single plant of either at Cricth. or Garn, now both are exceedingly

common. The Matricaria occurs along most of the roadsides at Cricth. And I was greatly surprised to find it along the whole of the Tŷ Cerrig – Garn road and in the village itself. Mimulus is abundant in the streams & ditches of the Maes at Criccth. while at Garn it is still more abundant. One field near Bright House had along two sides a broad continuous belt a yard wide![19]

Roedd hyn oll yn cadarnhau dechrau'r newid mawr a ddaeth dros fflora cynhenid yr Ynysoedd Prydeinig yn ystod blynyddoedd cynnar y ganrif newydd sef ehangiad toreithiog o blanhigion tramorol o'r gerddi i'r gwyllt ac fel un a oedd yn hen gyfarwydd â'r llystyfiant brodorol roedd J. Lloyd Williams yn ymwybodol iawn o'r newid. Dywedir i'r Chwyn Afal Pinwydd *(Matricaria discoidea)* ddod yma o Oregon, U.D.A., ond planhigyn o Ogledd Ddwyrain Asia ydoedd mewn gwirionedd. Sylwyd arno'n tyfu'n wyllt mor gynnar ag 1871 gan gynyddu'n gyflym yn ystod chwarter cyntaf yr ugeinfed ganrif. O Ogledd Orllewin America y daeth Blodyn y Mwnci *(Mimulus guttatus)* yma ac er iddo gael ei weld yn tyfu tu allan i ffiniau gardd yn 1830 cryfhaodd ei afael ar ei diriogaeth fabwysiedig yn ystod deng mlynedd ar hugain cyntaf yr ugeinfed ganrif. Efallai na welodd J. Lloyd Williams yr Helyglys Gorweddol *(Epilobium brunnescens)* sy'n frodorol o Seland Newydd ac a blannwyd yma mewn creigerddi ac a ymledodd mor llwyddiannus fel y gall hawlio'r clod o fod yr unig flodyn dieithr i ymsefydlu'n doreithiog ar ein mynyddoedd uchaf. Yn dilyn yr Ail Ryfel Byd bu newidiadau pellach oherwydd y newidiadau a fu yn y dull o amaethu ond ar yr un pryd bu cynnydd mewn ymwybyddiaeth gadwriaethol gan fod y llywodraeth yn cyflwyno deddfwriaeth i warchod planhigion, adar ac anifeiliaid gwyllt.

Er bod casglu hen ganeuon ac alawon gwerin Cymru yn mynd â bryd J. Lloyd Williams wedi iddo ymddeol o'r Gadair Fotaneg yn Aberystwyth nid oedd yn cael llonydd llwyr i ymafael yn y gwaith hwnnw. Mewn llythyr ato ym Mai 1928[20] mae W. P. Wheldon, Ysgrifennydd a Chofrestrydd Coleg Prifysgol Cymru Bangor yn diolch iddo am gytuno i ymgymryd â dosbarthiadau cyrsiau estynedig Efrydiau Allanol mewn bioleg ar ran y Coleg. Mae'n amlwg mai cyfres o ddarlithoedd i'w cynnal drwy gymorth sleidiau mewn ardaloedd fel Trawsfynydd, Y Bala, Llangefni a Llanrwst oedd y rhain ac o ddarllen y llythyr deellir nad dyma'r tro cyntaf iddo gynnal cyrsiau o'r fath.

Yn dilyn poblogrwydd y gyfrol *Byd y Blodau* a gyhoeddwyd yn 1924 cyhoeddodd cwmni Morris a Jones, Lerpwl, fersiwn Saesneg o'r llyfr dan y teitl *Flowers of the Wayside and Meadow* yn 1927. Cafwyd y syniad gwreiddiol am lyfr o'r fath gan Mrs. Silyn Roberts a welodd lyfr cyffelyb yn cael ei ddefnyddio ar gyfer plant ysgol yn Nenmarc. O sylwi fod y rhan fwyaf o'r blodau a ddisgrifir ynddo gyda lluniau lliw cywrain i'w cael yng Nghymru meddyliodd y buasai cyfrol o'r fath yn y Gymraeg o fudd mawr i blant Cymru. Argymhellodd Thomas Jones o Swyddfa'r Cabinet i gwmni Morris a Jones gyhoeddi'r gyfrol Gymraeg, cytunodd J. Lloyd Williams i ysgrifennu'r testun, a chafwyd caniatâd y Prifathro Lange, Odense, i atgynhyrchu'r lluniau gwreiddiol. Yn nhestun y llyfr mae J. Lloyd Williams yn egluro hynt bywyd planhigyn o'r gwraidd ymlaen gan egluro gwaith y ddeilen, ei ffurf a'i gosodiad i'r ffrwythloni a'r atgynhyrchu mewn dull systematig a hawdd i'w ddilyn. Rhoddwyd enw Cymraeg, enw botanegol ac enw Saesneg y planhigion gyferbyn â phob plât darlun. Prif nodwedd y llyfr fel cyfrwng i hwyluso adnabod y gwahanol blanhigion yw'r lluniau lliw ac erbyn ein dyddiau ni mae sawl cyfrol fflora Saesneg swmpus ar gael ar gyfer cychwynwyr yn defnyddio'r dull hwn o gyfuno testun a darlun lliw ond dim un Cymraeg onibai am y gyfres o chwe llyfr yn cynnwys blodau detholedig gan Twm Elias ac Islwyn Williams. Yn ei ddydd roedd *Byd y Blodau* o flaen ei amser.

Yn ôl llythyr a anfonwyd at J. Lloyd Williams yn Nhachwedd 1929 ymddengys bod yr angen am gael rhestr o enwau Cymraeg swyddogol ar blanhigion yn flaenllaw ym meddyliau H. A. Hyde a Iorwerth Peate. Yn y llythyr dywed Hyde bod enwau Cymraeg planhigion eisoes wedi eu cyhoeddi gan Hugh Davies yn ei *Welsh Botanology*, J. E. Griffith yn ei *The Flora of Anglesey and Carnarvonshire* ac A. H. Trow yn ei *The Flora of Glamorgan* ac mai â'r cyfrolau hyn, ar wahân i'r geiriaduron safonol, y byddai ef yn ymgynghori os am gael enw arbennig. Aeth Hyde ymlaen i egluro:

> … the late James Britten deprecated the use of many of the Welsh names in Welsh Botanology on the ground that Hugh Davies himself had compounded them – but that view, to my mind, is tantamount to the suggestion that the Welsh language is no longer growing, which of course is not the case whatever Britten may have thought. Such a list of Welsh 'names of herbes' as has been suggested could best be compiled by a botanist competent alike in the Welsh

> language and in Welsh field botany: and for the task the same name immediately occurred both to Mr. Peate and to myself – namely your own. May I therefore be allowed to suggest that you should consider undertaking this piece of work: it would be a permanent addition to the literature and would I am sure earn the gratitude of all those who are engaged in botanical teaching of any kind in the Principality.[21]

Llwyddodd J. Lloyd Williams i gasglu toreth o enwau Cymraeg planhigion ond am ryw reswm ni welwyd cyhoeddi'r rhestr ac erys yr enwau ar gardiau mewn dau focs yn y Llyfrgell Genedlaethol.

Nid teg yw mesur cyfraniad yr Athro J. Lloyd Williams i wyddoniaeth ei oes ar sail ei waith cyhoeddedig yn unig gan fod ochr arall lawn mor bwysig i'w gyfrifoldeb proffesiynol sef y gallu i drosglwyddo addysg gywir yn y fath fodd ag i ennyn diddordeb ei fyfyrwyr yn y pwnc. Ymddengys ei fod yn gyfoethog iawn yn y gallu hwnnw.

Cyhoeddodd ei hunangofiant mewn pedair cyfrol rhwng 1941 a 1945 er na chafodd fyw i weld cyhoeddi'r bedwaredd gyfrol. Mae'n amlwg bod ei ddiddordeb mewn gwahanol agweddau o fyd natur yn parhau er ei holl waith gyda cherddoriaeth Gymreig ymhob gwedd arni a cheir sôn amdano yn ymweld â Chadair Idris ac yntau'n tynnu at ei ddeg a phedwar ugain oed er mwyn cael golwg arall ar blanhigyn a oedd yn adnabyddus iddo. Cyfarfu'r Athro R. Alun Roberts ag ef yn Llundain yn 1944 ac meddai mewn erthygl goffa amdano:

> Y tro olaf e [sic] gwelais, ... ydoedd y tu allan i'r "Record Office" yn Llundain. Roedd y dinistr o'r awyr yn bygwth ar ei fileinaf, ond yno ac yn yr Amgueddfa Genedlaethol, bob yn ail a thrwy flynyddoedd y rhyfel y mynnai fod yn turio i hen hanes cerddoriaeth ei wlad ... Yr hyn a'i blinai'r dwthwn hwnnw ydoedd fod mor anodd cael gafael ar feicrosgop, ac yntau yn cael ei lesteirio rhag gyrru ar ryw waith ymchwil ym myd gwymon môr yr oedd mor awyddus i'w orffen! A phwy fel y fo a allai daflu'r celwydd yn ôl i ddannedd henaint fel y gwnaeth yng Ngarn Dolbenmaen tua'r un adeg? Fel teyrnged iddo cyflwynwyd ffon iddo y llynedd, ac yntau yn 90 oed. Wrth gydnabod yr anrheg diolchodd gan ddywedyd yn gellweirus, efallai y byddai yn dda iddo wrthi rywdro ymlaen wedi iddo fynd i oed.

Roedd gwytnwch a bywiogrwydd di-baid yn nodweddion arbennig ynddo gydol ei oes ... Roedd ganddo ffroen am lysieuyn prin, a'r ddawn i dynnu'r gwahaniaeth rhwng is-rywogaethau na werthfawrogai un llai ei graffter mohono wedi cael ei ddangos iddo – llawer llai ei ganfod drosto ei hun.

Yr oedd llawer o ddireidi ynddo, a charai gadw pobl ar bigau drain.

Roedd llawer o'r wag ynddo hefyd. Heno, wrth dalu'r deyrnged olaf hon iddo, ac wedi iddo groesi'r olaf ffin hidiwn i ddim nad yw yn rhithio y tu ôl i'm cadair a dywedyd: "Rwan wedi i mi fynd wyddost ti na neb arall tebyg iti ar wyneb daear ym mhle y mae cael gafael yn Eryri ar Trichomanes radicans (Rhedyn Killarney)."[22]

Yn dilyn marwolaeth ei wraig bu'n ymgartrefu yng nghartref ei fab y Dr. Idwal Williams yn Peasedown St. John ger Caerfaddon, Gwlad yr Haf ac yno y bu farw yn un ar ddeg a phedwar ugain ar 15 Tachwedd, 1945. Claddwyd ef gyda'i wraig yng Nghricieth.

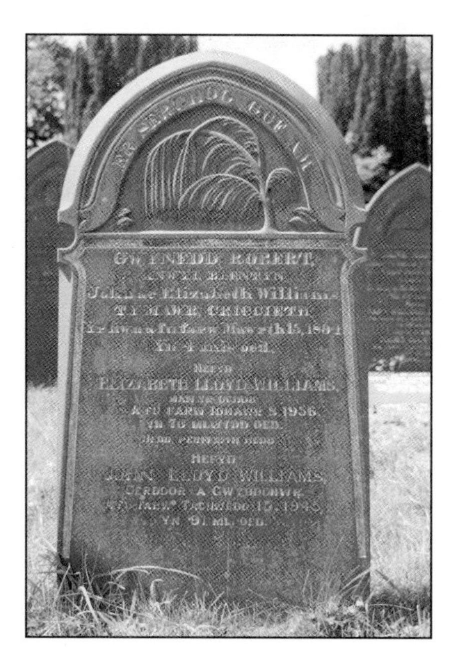

Carreg fedd J. Lloyd Williams ym Mynwent Cricieth.
Llun: Yr awdur.

NODIADAU: Pennod 7.

1. Cefais serocs o'r llythyr hwn drwy garedigrwydd y diweddar W. M. Condry.
2. David Elliston Allen, *The Naturalist in Britain* (Princeton, 1994), t. 221.
3. Ll.G.C., J. Lloyd Williams, Eitem 143.
4. Coleg Prifysgol Cymru, Aberystwyth, *Reports submitted to the Court of Governors,* 27 October 1916, tt 48-49.
5. Ibid., 17 October 1919, t. 51.
6. Ibid., 21 October 1921, t. 62.
7. E. L. Ellis, *The University College of Wales Aberystwyth 1872-1972* (Cardiff, 1972) t. 169.
8. Arthur O. Chater, gohebiaeth bersonol, 24 Mai, 2002.
9. Ll.G.C., J. Lloyd Williams, Eitem 143.
10. Sandy Roscoe, Llyfrgellydd Prifysgol Chicago, gohebiaeth bersonol, 30 Ebrill, 2002.
11. Shigeo Yamanouchi, *The Botanical Gazette* xlvii, (March 1909) tt. 173-197.
12. J. Lloyd Williams, *Annals of Botany* xxxv (1921), t. 603.
13. Ibid.
14. Am fanylion ynglŷn â phapurau P. W. Carter gweler *Nature in Wales* 5 (1986), tt 33-44; *Nature in Wales* 6 (1987), tt 34-43, a *B.S.B.I Welsh Bulletin* 66, tt 18-30.
15. Ll.G.C., J. Lloyd Williams, Eitem 143.
16. Ibid.
17. Ibid.
18. *Bulletin of the Alpine Garden Society* (1933), t. 23.
19. Ll.G.C. J. Lloyd Williams, Eitem 145.
20. Cefais y llythyr hwn, ynghyd â llond bocs o sleidiau J. Lloyd Williams, drwy garedigrwydd Bethan Miles, Aberystwyth.
21. Ll.G.C., J. Lloyd Williams, Bocs 128.
22. R. Alun Roberts, *Baner ac Amserau Cymru,* 21 Tachwedd 1945, t. 21.

Llyfryddiaeth a Darllen Pellach

Allen, David Elliston, *The Naturalist in Britain* (Princeton, U.S.A.,1994).

Blackman, V. H., *Obituary Notices of Fellows of the Royal Society* 1945-48 vol.v. London, tt 17-31. 'John Bretland Farmer'.

Britten, James, 'Botany', *Jenkinson's Practical Guide to North Wales* (London, 1878), pp lxxxii – xcix.

Davies, Dafydd: Jones, Arthur, *Enwau Cymraeg ar Blanhigion* (Caerdydd, 1995).

Davies, Hugh, *Welsh Botanology* (London, 1813).

Desmond, Adrian, *Huxley: Evolution's High Priest* (London, 1997).

Desmond, Adrian, *Huxley: The Devil's Disciple* (London, 1994).

Desmond, Ray, *Dictionary of British and Irish Botanists and Horticulturists* (London, 1977).

Dictionary of National Biography -1900; 1931-1940 (London).

Edgar, Iwan Rhys, *Llysieulyfr Salesbury*, (Caerdydd, 1997).

Gee, Thomas (cyh), *Y Gwyddoniadur Cymreig* cyf. iii, tt 421-425. 'Hugh Miller'.

Gillispie, C. C. (ed.) *Dictionary of Scientific Biography* vol. 13, (New York, 1970-76).

Gosse, Philip Henry, *A Year at the Shore*, (London, 1865).

Griffith, John E., *The Flora of Anglesey & Carnarvonshire* (Bangor, d.d.).

Hyde, H. A., *Samuel Brewer's Diary* (B.E.C., 1931).

Hughes, R. Elwyn, *Darwin* (Dinbych, 1981).

Jones, Dewi, *The Botanists and Guides of Snowdonia* (Llanrwst, 1996).

Jones, Dewi, *Tywysyddion Eryri* (Llanrwst, 1993).

Jones, Dewi, 'John Lloyd Williams y Botanegydd', *Y Traethodydd*, (Gorffennaf, 2000) tt 159-175.

Lester, Joseph, *E. Ray Lankester and the making of Modern British Biology* (BSHS, 1995).

Llwyd, Cymdeithas Edward, *Planhigion Blodeuol, Conwydd a Rhedyn,* Cyfres Enwau Creaduriaid a Phlanhigion, Cyfrol 2 (2003).

Oltmanns, Dr. Friedrich, *Morphologie und Biologie der Algen* (1922).

Preston, C. D., Pearman, D. A., Dines, T. D. *New Atlas of the British Flora* (Oxford, 2003).

Rhind, P., Evans, D., (Ed) *The Plant Life of Snowdonia* (Llandysul, 2001).
Roberts, E. Stanton, *Llysieulyfr Meddyginiaethol a briodolir i William Salesbury* (Liverpool, 1916).
Roberts, R. H., *The Flowering Plants and Ferns of Anglesey* (Cardiff, 1982).
Salter, J. H., *The Flowering Plants and Ferns of Cardiganshire* (Cardiff, 1935).
Smith, Gilbert M., (Ed.) *Manual of Phycology* (Waltham, Mass., U.S.A., 1951).
Thomas, W. Jenkyn, (cyf.), *The Itinerary of a Botanist* (Bangor, 1908).
Thwaite, Ann, *Glimpses of the Wonderful: the life of Philip Henry Gosse* (London, 2002).
Wells, H. G., *Experiment in Autobiography* (i) (London, 1966).
Williams, Elizabeth, *Brethyn Cartref* (Yr Awdures, 1951).
Williams, Harri, *Duw, Daeareg a Darwin* (Llandysul, 1979).
Williams, J. Lloyd, *Atgofion Tri Chwarter Canrif* (i) (Y Clwb Llyfrau Cymreig, 1941).
Williams, J. Lloyd, *Atgofion* ... (ii) (Y.C.Ll.C., 1942).
Williams, J. Lloyd, *Atgofion* ... (iii) (Y.C.Ll.C., 1944).
Williams, J. Lloyd, *Atgofion* ... (iv) (Gwasg Gymraeg Foyle, 1945).

CYHOEDDIADAU NATURIAETHEGOL J. LLOYD WILLIAMS:

Farmer, J. Bretland; Williams, J. Ll., *Proceedings of the Royal Society* vol. LX, No 361, 1896, pp. 188-195. "On Fertilisation, and the Segmentation of the Spore, in *Fucus*".
Farmer, J. Bretland; Williams, J. Ll., *Philosophical Transactions of the Royal Society of London* SER B, Vol. 190, 1898, pp. 623-645. "Contributions to our Knowledge of the Fucaceae: their Life-History and Cytology".
Williams, J. Lloyd, *Annals of Botany* vol. viii, (1894) pp. 367-370, 'The Sieve-tubes of Calycanthus occidentalis'.
Williams, J. Lloyd, *Annals of Botany* vol. xi, (1897) pp. 545-553, 'The Antherozoids of Dictyota and Taonia'.
Williams, J. Lloyd, *Annals of Botany* vol. xii, (1898) pp. 559-560, 'Reproduction in Dictyota dichotoma'.
Williams, J. Lloyd, *The New Phytologist* vol. 11, (1903) pp. 184-186, 'Alternation of Generations in the Dictyotaceae'.
Williams, J. Lloyd, *Annals of Botany* vol. xiii, (1899) pp. 187-188, 'New Fucus Hybrids'.

Williams, J. Lloyd, *Annals of Botany* vol. xviii, (1904) pp. 141-160, 'Studies in the Dictyotaceae: 1. The Cytology of the Tetrasporangium and the Germinating Tetraspore'.
Williams, J. Lloyd, ibid. pp. 185-204, '... 11 'The Cytology of the Gametophyte Generation'.
Williams, J. Lloyd, *Annals of Botany* vol. xix, (1905) pp. 531-560, '... 111 'The Periodicity of the Sexual Cells in Dictyota dichotoma'.
Williams, J. Lloyd, *Annals of Botany* vol. xxxv, (1921) pp. 603-607, 'The Gametophytes and Fertilization in Laminaria and Chorda. (Preliminary Account)'.
Williams, J. Lloyd, *Journal of Botany* vol. 25, (1887) p. 215, 'Trichomanes radicans in Carnarvonshire'.
Williams, J. Lloyd, *Journal of Botany* vol. 34, (1896) pp. 201-02, 'Juncus tenuis Willd., in North Wales'.
Williams, J. Lloyd, *Journal of Botany* vol. 65, (1927) pp. 80-82, 'Reginald W. Phillips'.
Williams, J. Lloyd, *The Western Mail,* October 30, 1936, t. 11, 'Dringo'r Wyddfa i hel dail. Atgofion am y Llysieuydd Dan Jones'.
Williams, J. Lloyd, *The Western Mail,* November 29, 1937, t. 9, 'Yr ymchwil am lysiau prin. Rhamant y Rhedynen Fach â'r Enw Mawr'.
Williams, J. Lloyd, *The Western Mail,* April 8, 1938, t. 11, 'Trysorau Llysieuol Môn ac Arfon. Estroniaid yn Eu Casglu ddwy Ganrif yn ôl'.
Williams, J. Lloyd, *The Western Mail,* June 10, 1938, t. 11, 'Estroniaid yn Casglu Llysiau Cymru. Eu Helyntion ar Lannau Menai ddwy Ganrif yn ôl'.
Williams, J. Lloyd, *The Western Mail,* March 8, 1941, 'Japanead yn ceisio goresgyn Cymru'.
Williams, J. Lloyd, *Y Ford Gron,* cyf. iii (Awst, 1933), tt. 221-2, 'Cripian ar ôl Lili Eryri'.
Williams, J. Lloyd, *Y Ford Gron,* cyf. v (Medi, 1935), tt. 261-2, 'Blodau i'w Casglu a Blodau i'w Gadael'.
Williams, J. Lloyd, *Y Traethodydd,* (1941 - Ionawr) 3 gyfres, cyf. x, tt. 21-31, 'Griffith John Williams, Daearegwr'.
Williams, J. Lloyd, *Byd y Blodau,* (Caerdydd, 1924: William Lewis, Argraffwyr Cyf.).
Williams, J. Lloyd, *Flowers of the Wayside and Meadow,* (Cardiff, 1927: William Lewis, Printers Ltd.).

Mynegai

ENWAU LLEOEDD A PHERSONAU

MYNEGAI I ENWAU CYMRAEG PLANHIGION